30
ANOS

# O que é que ele tem

*Olivia Byington*

# O que é que ele tem

*3ª reimpressão*

*Grafia atualizada segundo o Acordo Ortográfico da Língua Portuguesa de 1990, que entrou em vigor no Brasil em 2009.*

*Capa*
Alceu Chiesorin Nunes

*Preparação*
Carol Vaz

*Revisão*
Angela das Neves
Marina Nogueira

Dados Internacionais de Catalogação na Publicação (CIP)
(Câmara Brasileira do Livro, SP, Brasil)

Byington, Olivia
O que é que ele tem / Olivia Byington. – Rio de Janeiro : Editora Objetiva, 2016.

ISBN 978-85-470-0011-0

1. Byington, Olivia 2. Crianças com necessidades especiais 3. Histórias de vida 4. Relatos pessoais 5. Síndrome de Apert – Pacientes – Relatos I. Título.

16-03154 CDD-869

Índice para catálogo sistemático:
1. Relatos pessoais : Literatura brasileira 869

[2016]

EDITORA SCHWARCZ S.A.
Praça Floriano, 19 – Sala 3001
20031-050 – Rio de Janeiro – RJ
Telefone: (21) 3993-7510
www.objetiva.com.br

*Para as avós Gisah e Memé,*
*duas vezes mães do João,*
*muitas vezes no meu lugar.*
*Para Gregorio, Barbara e Theodora,*
*meus pequenos milagres.*
*Para João,*
*meu herói.*

*A dor é inevitável. Sofrer é opcional.*

Do livro *Do que eu falo quando eu falo de corrida*,
de Haruki Murakami.

# Sumário

João entrou em casa nos meus braços. Na casa em que dormiu por nove meses, dentro de mim, enquanto eu preparava a sua chegada. Era a sua casa. Um apartamento iluminado por uma grande janela de onde se viam os jardins de Burle Marx do prédio vizinho. O quarto de rendas e bordados, o berço antigo de madeira protegido por um cortinado de príncipe, o toucador repleto de pequenos mimos para seus cuidados diários. Tudo preparado com a alegria e o frescor de uma jovem mãe que espera seu primogênito.

Era uma volta ao lar de onde ele tinha saído – ainda dentro da minha barriga – fazia quase dois meses. A sonda no estômago, a cabeça enfaixada com ataduras feito um turbante, os olhinhos saltados. Evitei os olhares dos vizinhos, do porteiro, eu não queria reação alguma. Não queria exibi-lo. Ainda era preciso que eu mesma me acostumasse.

As primeiras noites foram tranquilas, João chorava pouco e as mamadas tinham de ser substituídas por uma seringa com leite pela sonda que o acalmava e ele dormia. Miguel e eu conversávamos longamente sobre o futuro. Éramos otimistas e apaixonados, tínhamos uma tarefa a cumprir. Não tínhamos cama.

Dormíamos num colchão imenso no chão, como mandava a moda no princípio dos anos 80.

Eu passava horas numa cadeira de balanço, com a luz apagada, pensando no porquê daquilo tudo, me sentindo escolhida, com um estranho presente do destino no colo que eu não sabia que fim teria. Começava a me dedicar a ele como qualquer mãe se dedica a seu filho. Num cotidiano bem diferente do planejado, cercada de esterilizantes, gazes e esparadrapos.

Eu estava em construção. Estava diante do mistério da vida. Sem saber, já fazia parte da grande comunidade de pessoas fora do padrão, com a chance de arregaçar as mangas e buscar a alegria de novo.

Só não sabia que as alegrias viriam e seriam muitas. E que viriam em prestações, entregues por toda a vida que eu ainda tinha pela frente.

# Você não está só

João sofreu em torno de vinte cirurgias. Tudo começou no parto, dia 19 de março de 1981. Era o final de um alegre verão, e eu me sentia preparada. Só não podia adivinhar o bote que o destino armava.

No fim do ano viajamos para Angra dos Reis para comemorar o réveillon e nadar no mar. Anotei no meu caderno:

> Fiz muitos pensamentos bons para o ano de 1981. Todos ligados a minha nova vida e à maternidade. Desejei profundamente ser calma, amorosa e segura para o meu filho. Resolvi me empenhar em ser uma pessoa feliz e apaixonada. Eu e Miguel, juntos. [Aqui um coraçãozinho desenhado com caneta esferográfica.]

Entusiasmada com a gravidez, fui lendo livros, fazendo cursos, acreditando que isso seria fundamental para me tornar uma boa mãe. Tinha perto de mim minha irmã, Elisa, grávida do meu amigo e parceiro Geraldo Carneiro. Ela estava um mês à frente. Esperava o nascimento do seu primogênito para fevereiro, e eu, para março.

Elisa e eu frequentamos juntas o curso da dra. Elizabeth Spatenkova, uma senhora da antiga Checoslováquia que enfiava e tirava uma boneca velha e suja pela bacia de um esqueleto afirmando com veemência: "Parto no dói!".

Aprendemos a respirar, a relaxar, e suas aulas consistiam nisto: fazer a gente perder o medo de parir. No diário que encontrei recentemente, achei uma anotação feita no quinto mês de gravidez: "Quero estar consciente no momento do nascimento do meu filho e ajudá-lo a vir ao mundo".

Os três últimos meses de espera foram curtidos a cada minuto. Fiz alguns exames de ultrassom, e o aparelho arcaico mostrava o bebê sem muita definição. Não se via o sexo, e as medidas do crânio e dos membros foram interpretadas como normais. As compras para o enxoval, a barriga ficando enorme, estava tudo na mais perfeita ordem, dentro dos livros, sem improvisos. Passamos o Carnaval em Petrópolis com a família do Miguel. De noite, íamos jogar palavras cruzadas de tabuleiro com Chico Buarque e Marieta Severo na casa de Itaipava.

Quinze dias depois, numa manhã nublada, fui para a Casa de Saúde Santa Lúcia, em Botafogo. Eu estava bem tranquila, com o trabalho de parto já iniciado para poupar a angústia de ficar mais tempo que o necessário no hospital. As contrações ritmadas vinham, e eu respirava de modo acelerado, segurando a mão do Miguel. O livro do médico francês Frédérick Leboyer estava em alta e a gente tinha um exemplar na cabeceira. Chamava-se *Pour une naissance sans violence*, publicado no Brasil com o título *Nascer sorrindo*.

> Vamos deixar o bebê. E entregá-lo, por alguns momentos, à mãe, depois de ele ter provado as alegrias da solidão, da imobilidade. Deitado sobre o peito querido, orelha contra coração, o bebê reencontra o som e o ritmo familiar.

Tudo está feito. Tudo é perfeito.
Esses dois seres que lutaram corajosamente transformam-se num só.

O livro dizia isso e era para isso que eu estava preparada. Eu queria o meu filho perto de mim, mas queria o meu filho perfeito, tudo perfeito como o livro insistia: sem ar-condicionado na sala, uma música suave tocando, sem cirurgias nem anestesia, sem choros, sem juntas médicas, sem a palavra "síndrome" ecoando dentro da minha cabeça.

Obedecendo ao método do parto sem dor, eu fazia as respirações de cachorrinho a cada contração, e a médica, monitorando o bebê, elogiava o trabalho, que estava indo bem. Com a dilatação já avançada e a cabeça do bebê coroando, ela sentiu no toque a má-formação. Não disse nada, apenas que a cabeça era maior do que a passagem da bacia e que o bebê estava entrando em sofrimento. Ou seja, a cabeça não passava, estancou ali.

A decisão de fazer a cesariana veio junto com o fim do meu projeto coreografado de nascimento, e foi aí que o chão começou a faltar debaixo da minha cama. Uma vez que o bebê já estava encaixado, pronto para nascer, a cesariana era um doloroso caminho de volta. A cirurgia ocorreu sob forte tensão, com Miguel ao meu lado. Os médicos, quando constataram a má-formação, me doparam pesado. Não sei que fenômeno aconteceu comigo, mas, apesar de dopada, eu escutava tudo. Talvez estivesse tão vigilante que não me entregava ao tranquilizante e ouvia, ouvia coisas que não faziam sentido. Era um menino, mas por que chamaram o Pitanguy? E por que eu não acordava nunca daquele sono? Por que tanta confusão? E meus olhos não abriam. Foram as horas mais longas da minha vida. Não sei quanto tempo aquilo durou realmente, se foram 24 ou 48 horas, mas eu não saía do pesadelo. Aquele intervalo de tempo era infinito, e a minha vida inteira perdia o sentido. Quando finalmente acordei, ouvi do Miguel a confirmação sinistra do que eu já sabia. Ao meu lado, no quarto, em vez do meu bebê perfeito, estava minha analista, Lourdes Toledo. Do outro lado da cama, Miguel, que tinha se tornado pai e segurava firme o leme no meio do tsunami. Eu pedi para ver a criança e reagi mal. Muito mal. Não queria aquela coisa, queria o meu filho perfeito, o do livro, o da gravidez, o que estava comigo quando eu caminhava cedinho pela praia, quando eu tomava sucos, quando eu fazia as aulas do "Parto no dói". Queria o bebê que ia dormir no quarto que eu preparei cheio de fru-frus, rendas e babados. Queria ser como todo mundo, como Elisa, que já tinha o seu Joaquim, então com um mês. Não queria aquilo, aquela coisa malformada, sem dedos nas mãos, com uma cabeça gigante e olhos saltados. Não. Não e não.

O pediatra me trouxe a trouxinha do berçário e disse:

— É seu filho, você tem que aceitá-lo.

— Não quero, ponto. Façam o que quiserem com isso.

Aquele filho não se encaixava de modo algum nos meus planos, não havia porta pra ele entrar no meu coração com aquela deformidade. Por que raios eu teria que gostar daquilo? Por que a minha vida estava tomando um rumo tão trágico? Um barco adernando, um horizonte escuro, uma morte sem cadáver, uma escuridão sem fim.

Minha analista segurava a minha mão e eu chorava. Nisso, a corrida dos médicos começou. Ele teria que ser operado imediatamente, rápido, urgente. Seu cérebro estava comprimido numa caixa sem moleira. Quanto mais rápido abrissem essa caixa, menos danos ele teria no seu desenvolvimento. Apert. Síndrome de Apert. Sindactilia. Dedos das mãos e dos pés malformados.

O geneticista José Carlos Cabral de Almeida diagnosticou. E o Pitanguy veio ao quarto me dizer:

— Parabéns, é um meninão.

E era. João nasceu forte, com 51 centímetros e quatro quilos, vigoroso, pronto para a batalha.

Mas dentro de mim só havia dor e desespero. Não conseguia imaginar como a vida seria dali em diante. Como aceitar esse destino terrível, como levar para casa aquela criatura que não fora desejada, que não se parecia com ninguém, que só provocava repulsa?

Miguel, ao meu lado, já providenciava a internação de João em outro hospital, já se falava numa cirurgia imediata, já havia uma junta médica discutindo o que fazer. Mas eu só ouvia, perplexa. Aquela mobilização toda em volta do meu filho e eu não tinha o que fazer. Em poucas horas João partiu no colo da madrinha Isabel, irmã do Miguel, para outro hospital. Eu continuei ali, aos cuidados da Lourdes, minha analista desde menina. Ela era extremamente amorosa. Não tinha filhos. Seus filhos éramos nós, seus jovens clientes de quem ela cuidava maternalmente, para além das técnicas da psicanálise. E ela estava ali, com a minha mão apertada contra a sua, dividindo meu sofrimento e tentando achar a chave que abriria meu coração petrificado. E foi naquele mesmo quarto onde a minha vida parecia ter terminado que ouvi dela, atentamente, aquilo que me fez voltar a ver a luz e a possibilidade de sair daquele pesadelo.

— Você não está só. Você agora faz parte de um grupo de milhões de mães que também passaram por isso. Nesse exato momento, em que você se sente a única criatura da natureza vivendo isso, existem milhares de outras mães ao redor do mundo passando pela mesma coisa. E elas vão enfrentar, vão encarar a realidade, vão cuidar desse filho que chega pedindo ajuda, precisando mais ainda de você e do seu amor do que um bebê normal.

É isso que eu repito para as mães e as famílias que recebem essa missão de acolher um filho com deficiência. Eu passei a encarar as circunstâncias assim e talvez por isso esteja escrevendo este livro. Receber uma criança com necessidades especiais é ser escalado para um papel difícil, que exige grande entrega, preparo físico e emocional, sobretudo humildade e compaixão. Você entende o valor supremo da saúde. Uma criança sadia é um milagre. Isso foi se sedimentando com o tempo, e o que nos primeiros dias parecia impossível — o amor materno — foi despertando naturalmente dentro de mim.

João foi transferido para a Clínica São Vicente com 24 horas de vida. Os médicos nos indicaram um neurocirurgião que conhecia a síndrome e estava familiarizado com as técnicas precoces de descompressão do cérebro. Foi lá, no meio da floresta no alto da Gávea, que as primeiras de muitas cirurgias foram realizadas. A finalidade crucial dessa primeira intervenção era abrir as placas do crânio que se fecharam prematuramente na gestação. O cérebro comprimido dentro da caixa precisava urgentemente daquele espaço a mais. As junções das placas são naturalmente soltas num recém-nascido para que se acavalem durante o parto. Na síndrome de Apert essas placas se unem antes do nascimento e causam a compressão, que pode levar a hemorragias e ao coma, com sérios danos para o cérebro. Numa cirurgia delicadíssima, de dez horas, João nasceu de novo. O dr. Virgílio Novaes viu pular em suas mãos o cérebro livre da pressão dos ossos. O sucesso da craniotomia foi comemorado por Miguel que, emocionado e otimista, me encorajou:

— Olivia, o João vai dar pé.

A esta altura eu ainda me recuperava do parto na Santa Lúcia. Fiquei tão debilitada que fui transferida de ambulância e maca para a Gávea. Hoje eu me lembro disso como um fato meio absurdo. Três dias depois de uma cesariana e eu ainda não andava? Afinal, quem tinha problemas era o João. Eu me lembro de rolar de camisola de renda pelos corredores da clínica com uma enfermeira me empurrando numa cadeira de rodas, os cabelos compridos, os olhos inchados. Eu entrava e saía do CTI neonatal assim. João já estava de cabeça raspada, todo costurado, com drenos que saíam pelo curativo da cabeça. Quando eu me aproximava a gente ouvia o seu coraçãozinho acelerar no monitor. Os médicos chamavam atenção para isso, mas a minha sensação era de total impotência diante daquele serzinho pequeno lutando pela vida. Ao meu redor, incubadoras com bebês de oitocentos gramas, um quilo, fetos lutando para sobreviver, sendo alimentados por conta-gotas pelas mãos aflitas dos pais. Às vezes, um deles não resistia. Minha dor, comparada ao sofrimento dos pais que saíam dali para enterrar um filho, se relativizava e diminuía.

Tive alta e voltei para casa sem o João. Foi triste entrar no quarto que havia sido preparado para ele e viver o dia a dia de uma nova realidade que contrariava todos os sonhos e as expectativas cultivados nos meses anteriores. Eu dava um passo de cada vez na direção de aceitar, compreender e amar o novo filho imperfeito, o novo destino.

Agarrada ao volante do meu fusca, saía do Leblon para a Gávea às seis da manhã, todos os dias. O fusca ostentava um adesivo no vidro traseiro que dizia MALDITA. Era o slogan da Fluminense FM, a rádio-rock que eu ouvia a todo volume subindo a ladeira da rua João Borges, mas não deixava de ser uma referência à sensação que me roía por dentro. Elisa, minha irmã, chegava em seguida. Como tinha dado à luz seu bebê

Joaquim Pedro um mês antes, produzia leite o bastante para alimentá-lo e ainda encher várias mamadeiras no CTI, fazendo a alegria de médicos e enfermeiras. Seu leite dava para a clínica e sobrava para o banco de leite que abastecia outras maternidades.

As complicações não cessavam. Ao sair do risco da primeira neurocirurgia, João começou a dar sinais de outra trapalhada, agora no aparelho digestivo. Já era para ele ter tido alta e estarmos em casa. Mas era preciso que ele digerisse o leite normalmente, e isso não acontecia. No quadro da síndrome, os médicos não identificavam que mazela era aquela. Era como se estivessem diante de um aparelho em que uma de suas peças não constasse do manual de instruções. Eles tentavam receber orientação dos fabricantes, mas ninguém sabia o porquê daquilo. Finalmente acharam que o problema estava no piloro, uma válvula que liga o estômago ao duodeno e que estaria apertada demais. João tinha estenose do piloro, um estreitamento do canal que liga os dois órgãos. Diante desses novos acontecimentos, já tínhamos mudado de mãos e estávamos entregues à equipe do dr. Claudio Souza Leite, o cirurgião geral.

A operação do piloro foi realizada, mas João continuava a não digerir o leite que recebia, mesmo em doses mínimas. Foi preciso fazer um exame de contraste com iodo para descobrirmos que o seu estômago era dividido em duas partes, e que a de cima não se comunicava com a de baixo. Sala de cirurgia de novo para recortar essa membrana e fazer o estômago cumprir a sua passagem para os intestinos. Novo pós-operatório problemático. Febre, pneumonia e mais doses de antibiótico.

Foram três cirurgias em um mês. João era alimentado por uma sonda ligada diretamente ao estômago, e eu não abria mão de fazer este trabalho. Ainda que com um canudinho e uma seringa, era eu quem estava dando de comer a ele. Os médicos elogiavam sua força, sua capacidade de recuperação, sua vitalidade. Eu me orgulhava... "É o meu garoto."

Um mês depois, Miguel e eu questionamos a sua permanência no hospital. João ainda se alimentava pela sonda, mas digeria bem e não tinha febre. Já não dependia de aparelhos para nada e não tomava nenhuma medicação pelas veias. Os médicos relutavam em dar a alta por causa da sonda. Questionamos a necessidade de ficarmos ali, no CTI neonatal, sob o estresse do apito das máquinas, das luzes frias e da movimentação frenética durante a noite. Havia a possibilidade de a sonda levar meses para ser retirada e sabíamos que vários bebês conseguiam conviver com ela — e por muito tempo — em casa. Queríamos levar o João para a tranquilidade do nosso ninho, onde a gente achava que ele se recuperaria melhor. Assinamos um documento nos responsabilizando pelo ato e tiramos ele de lá.

Em casa, eu me encarregava de fazer o trabalho das enfermeiras. No início, contratamos uma senhora que ficava durante o dia. Mandei-a embora na segunda semana, ao ver que tinha cortado desajeitadamente as complicadas unhas de João. Na realidade, queria mesmo era me ver livre daquela pessoa ali plantada o dia inteiro. A ajuda da empregada da casa bastava.

Nas primeiras saídas de casa com João topei com novos desafios. Era preciso levá-lo para tomar sol, era preciso começar uma vida normal, longe dos médicos. Era o que nos esperava. Só que não existia uma placa:

PRAÇA PARA LEVAR BEBÊ DIFERENTE PARA TOMAR SOL.

Também não havia uma tabuleta:

NÃO OLHE PARA ESTE CARRINHO COM CARA DE HORROR — MÃE TENTANDO LEVAR UMA VIDA NORMAL.

Encarando a realidade, continuei a viver o dia a dia seguindo em frente, dando um passo depois do outro, mesmo sem ter ideia de onde aquilo me levaria. Com a ajuda da análise, tentando ser leve, rindo das situações, aprendendo a driblar a ignorância e o preconceito, mas sabendo que em pouco tempo estaríamos de volta aos hospitais. Era tempo de entender como lidar com o universo de novo. Na minha frente havia um grande mistério de programação. Como seria dali a um ano, eu não fazia ideia. Tínhamos dúvidas se João ia sobreviver, se ia falar, se ia andar, se ia depender de nós para o resto da vida. Não havia garantias, e eu não queria me preocupar com aquilo naquele momento. De imediato, a grande luta era fazer João engordar. Depois da retirada da sonda ele passou a tomar leite na mamadeira com sucesso, mas como retinha pouco alimento, precisou começar a comer papas e frutas com mais consistência. Porém, a verdadeira responsável por suas crises de vômito era a pressão intracraniana, e pressentíamos que mais uma cirurgia estava para acontecer.

Cuidar de um filho com deficiência é um trabalho desmesurado, que vai além do trabalho normal que todo bebê impõe a uma casa. O estresse contínuo – com a angústia diante do desenvolvimento irregular e a nova condição da família – estabelece um ritmo inesperado. Tudo isso pode causar demasiado sofrimento e até envelhecimento precoce pelo esgotamento. Sentindo isso na pele, fui me deixando levar pelas nossas pequenas vitórias. Nos empenhamos em manter em torno do João uma rede luminosa de otimismo. Nossas famílias foram próximas, solidárias, o que nos poupou e nos amparou bastante no trato do cotidiano com ele.

Uma criança fora do padrão é uma porta e uma oportunidade para se ver algo além. Ela precisa do melhor dos pais. Há quem admita não ter vocação para isso e não queira encarar o fardo. Mas é aí, nessa dor, que a gente tem a chance de se provar. Uma criança com deficiência devolve alegrias em dobro a cada mínima conquista, como uma medalha para os pais que estão ali, despidos de vaidade, ligados à essência da vida.

Desde cedo rejeitei a possibilidade de virar a clássica "mãe do excepcional". Aquela que abre mão de todos os seus sonhos para se realizar diante da sociedade como alguém que se doou em prol da felicidade do filho. Esse personagem não me permitiria viver de tantas outras formas a vida com o João. Minha frustração poderia ser um peso para ele e piorar o que já não era nada tranquilo. Ele me fortalecia a cada dia, eu ganhava músculos para uma existência inteira. Não sabia mais o que era viver sem essa responsabilidade, então tinha que tirar partido disso. Eu podia me dar ao direito de ter sentimentos de autopiedade nos momentos em que me dava conta de tudo o que estava passando, mas não queria expor essa mágoa ao João. Isso era assunto meu. Reneguei a figura da Mater Dolorosa, aquela que deixou de levar uma vida normal para se doar ao sofrimento, porque na verdade isso nunca aconteceu. Fui tocando minhas coisas e fazendo em João a transfusão do melhor que eu tirava de tudo. Meu entusiasmo foi importante para voltar a uma vida normal, retomar a carreira e não sucumbir à resignação.

Ao longo desse processo, tive bons amigos, mas também perdi muitos deles. Tive uma família que participou de tudo, sogro, sogra, cunhados, irmãs, pais, tios e tias, primos e primas. Mas tive grandes decepções. Pessoas que se afastaram por medo de não saber lidar com aquilo. Ouvi dizer que algumas pessoas comentavam que o que fazíamos não valia o esforço, que seria melhor se João não resistisse. Ou seja: elas preferiam que meu filho morresse para não terem mais de pensar naquilo.

Quem tem um filho especial acaba dividindo a humanidade em duas partes: a que é legal com o seu filho e a que não é. Foi triste constatar que os amigos estavam desertando. Uns ligavam, mas não apareciam, outros nem sequer deram um telefonema com medo do que poderiam ouvir e de como aquilo os tocaria. Vivíamos entre artistas, cineastas, músicos, e eu nunca imaginei que na nossa turma pudesse haver gente com tanta dificuldade de lidar com o imponderável. Os poucos que ficaram se eternizaram num lugar especial no meu coração. É em troca de nada que alguém decide se despir dos seus medos e, simplesmente pela solidariedade, encarar um bebê de cabeça enfaixada, olhos saltados, cicatrizes aparentes e mãos que quase nem parecem mãos. Tudo isso no lugar em que deveria estar o glamoroso filho de Miguelzinho e Olivia.

Oscar Niemeyer disse uma vez que a solidariedade é o que justifica o curto passeio da vida. Pois essa meia dúzia de amigos que se manteve por perto foi essencial para que eu me integrasse à nova realidade. Um filho com deficiência vem também com essas iluminações, coisas que a gente lê e aprende, mas só fica sabendo mesmo quando as vive.

Passei a entender os ausentes como pessoas cheias de medo das próprias fantasias, das imagens criadas um dia na infância sobre anormalidade, deformidade, defeito de nascença. A gente ouve a vida inteira: "Ele nasceu assim, com defeito, com problema, nasceu torto, deu errado. A mãe casou com o primo, a mãe tomou remédio, o pai bateu na mãe, ele caiu do berço, teve pólio, teve um AVC. A mãe era velha. O pai era velho. Foi doença de gato, de comida, bateu um vento". Mas e quando não aconteceu nada disso e o bebê nasceu assim tão estranho? Como ir visitá-lo e encarar esse mistério da vida? Em pouco tempo dava pra reunir numa mesa de restaurante a minha lista de amigos verdadeiros.

Guardo a delicada lembrança da visita da Marieta Severo, que chegou com um presente e foi logo pegando meu filho no colo, sem cerimônia. Ela me deu essa grande alegria. João tinha os olhos grandes e o nariz adunco.

Marieta observou, sorrindo:

— Parece um senador.

# Lady Jumbo

Nova York era o destino. Um neurocirurgião e um cirurgião plástico do hospital da New York University (NYU) foram indicados pelos médicos brasileiros como os cobras da correção craniofacial.

Miguel e eu embarcamos com João na classe econômica da Varig em agosto de 1981. Meu filho vinha embrulhadinho nos seus cinco meses de vida, cicatrizes aparentes, olhinhos azuis saltados. Para nós ele já era um bebê querido e sua fisionomia não nos causava estranheza. Nos outros suscitava reações variadas. Havia quem fugisse de olhar, quem fizesse bilu-bilu, quem me entrevistasse com curiosidade. Alguns vinham com o diagnóstico já pronto de que a síndrome que afetava o João vinha de alguma coisa que tomei na gravidez. O trauma da talidomida, droga que causou má-formação em milhares de bebês pelo mundo nos anos 50, deixou essa assombração. Na cabeça das pessoas, talvez eu pudesse ter usado um remédio assim.

Esses eram os comportamentos mais comuns e os que mais me magoavam. Os de curiosidade eu compreendia, os de afeto me confortavam, mas os que me julgavam e me atribuíam uma parcela de culpa e responsabilidade pela má-formação do meu

VARIG

filho me atingiam profundamente com sua ignorância e falta de sensibilidade.

Desde que eu soube da encrenca que era o meu filho, criei uma conexão direta com um deus particular, um canal privado de diálogo em que eu revia e esmiuçava a minha vida, me sentando na berlinda para saber se merecia ou não passar por aquilo. Rezava para tudo dar certo, misturando crenças: me agarrava a uma imagem de Buda, uma guia de candomblé e uma Virgem Maria. Todos os santinhos e patuás que chegavam a mim eram bem-vindos. Tentava encontrar uma maneira de entender a missão para a qual fora escalada, conversando com símbolos que estavam fora de mim, mas que encurtavam o caminho para o mais profundo de mim mesma.

No entanto, a ciência me deu a tradução mais poética para o furacão que me assolava.

Numa cerca de hibiscos vermelhos nasce um hibisco branco. O que essa flor teria feito para merecer isso? Que remédio teria tomado, que erro grave teria cometido? A natureza improvisa, erra sozinha, troca um gene de lugar e altera a cor do hibisco. Foi assim que o geneticista José Carlos Cabral de Almeida, naquele primeiro contato com João, ainda no berçário da Casa de Saúde Santa Lúcia, me ajudou a entender o que se passava. Miguel segurava minha mão com valentia e de pronto me encheu de coragem e esperança diante do desafio que a sorte nos atribuía. A mutação do gene FGFR2 provoca a síndrome de Apert. Durante a gestação acontece a fusão prematura de vários ossos do crânio, das mãos e dos pés.

No avião, o espaço exíguo da classe econômica não previa o encaixe do berço. Antes mesmo de decolar, meu bebê começou a chorar, os passageiros assustados com sua aparência, eu em pânico com os olhares e sem nenhuma prática de viajar com criança, não conseguia acalmá-lo. E uma mãe em pânico deixa o filho histérico.

Foi então que Miguel, movido pelo desespero, foi bater na primeira classe do avião. Naqueles tempos, se fazia upgrade assim, na marra. Depois de negociar com o comissário de bordo, pagou uma quantia em dinheiro e veio, todo contente, me buscar para ocuparmos as confortáveis cadeiras da frente do avião. Essa viagem era uma extravagância para os nossos bolsos. Contamos com a ajuda dos avós e levantamos dinheiro emprestado. Nossas vidas estavam suspensas, trabalho, carreira, todo o resto. Viajamos sem estresse na antiga primeira classe da Varig, com direito a champanhe para distrair e trazer algumas doses de alegria. Grande jogada.

Desembarcamos em Nova York no dia 1º de agosto de 1981 e rumamos direto para o New York University Hospital. Encontrei numa agenda anotações dessa data:

1. *exoftalmia*
2. *cabeça-tamanho*
3. *meio da face*
4. *desvio de septo*
5. *palato alto/ arcada dentição*
6. *fala*
7. *riso*
8. *orelha-altura*
9. *testes neurológicos para saber exatamente se o desenvolvimento é normal – surdez*
10. *cardiopatia*
11. *problema renal*
12. *idade em que se opera sindactilia*

Bombardeamos os cirurgiões com essas perguntas na primeira consulta. É claro que eles não tinham respostas para todos esses assuntos desalinhados. Na mesma agenda aparece rabiscada a seguinte pergunta, escrita com a minha letra, em inglês:

— *Why doesn't he smile?* (Por que ele não sorri?)

Tínhamos medo de João ficar sem sorrir para sempre. Acreditávamos que algum nervo poderia estar comprometido. Não cogitávamos que ele não sorrisse por não ter motivo algum para isso.

O hospital da universidade era referência em cirurgia craniofacial nos Estados Unidos. Um andar inteiro de crianças com más-formações, que iam do conhecido lábio leporino até pacientes praticamente sem rosto — sem nariz, sem olhos, sem orelhas e quase sem cérebro. Porém, ainda assim, crianças. Dos bercinhos a gente às vezes ouvia risadinhas, caixinhas de música, grunhidinhos fofos de bebê. Minhas pernas tremiam, meu coração disparava, mas eu visitava os leitos e conversava com as outras mães. Eu estava com a minha turma e fazia questão de encarar aquela situação. Na primeira noite dividi o quarto com uma mãe e seu bebê, que tinha a síndrome do Miado do Gato. Também conhecida como Cri du Chat, a síndrome apresenta microcefalia e anomalias graves que podem levar à morte até um ano de idade. A mãe trabalhava durante o dia, e o bebê ficava sozinho atrás da cortina azul que divide os leitos nos hospitais americanos dos seriados de TV. Ele chorava tal qual um gato, e eu, do meu lado, durante a noite, também chorava baixinho.

O andar da pediatria era essa miscelânea, e o CTI estava sempre movimentado pelo entra e sai de médicos e seus casos graves. Estávamos lá quando chegou de helicóptero o menino Travis, de dois anos, filho de Tommy John, famoso lançador de beisebol. O garoto tinha caído do terceiro andar de um prédio e entrou em coma. Lembro que isso mudou totalmente a rotina do hospital. Passamos a ter que andar com crachás e documentos pendurados no pescoço. A imprensa, fãs e curiosos se aglomeravam na frente do hospital junto aos carros da mídia, esperando notícias. O atleta do New York Yankees era uma celebridade e chegavam mensagens da presidência da República ao Frank Sinatra, enquanto Tommy pedia preces para o filho pelas redes de televisão. Travis brincava com o irmão quando caiu da janela baixa de um apartamento e fraturou o crânio. A fratura causou enorme sangramento no cérebro e a cirurgia de descompressão foi feita no mesmo dia. O pai, desolado, dava declarações de que deixaria o beisebol caso o filho não resistisse. Para mim, ele era só um pai à beira de um leito de hospital, ansioso, temendo pela vida do filho cheio de fios e eletrodos na cabeça. Ele era como eu, um poço de angústia e expectativa. Duas semanas depois, o pequeno Travis teve alta, encerrando a história com um final feliz. Tinha sido salvo pelos médicos da NYU, e o pai agradecia na TV as preces dos americanos. Ele distribuiu fotografias autografadas e abraçou cada um de nós, colegas de CTI, com um sorriso de alívio e felicidade.

Os dias eram longos, o mês de agosto em Nova York é tão ou mais quente que o verão carioca. Da janela dava pra ver os barquinhos e as pessoas do lado de fora aproveitando o East River, que leva a fama de rio, mas na verdade é um pedaço de mar que separa Manhattan de Long Island. Na cafeteria, eu costumava saborear um sanduíche de salmão com *cream cheese*, na época produtos preciosos para nós, brasileiros, que em casa não tínhamos acesso a esses luxos no mercado fechado em que vivíamos.

Miguel estava hospedado em um hotel perto dali. Nas suas visitas, fazíamos campeonatos de gamão enquanto o João dormia. Às vezes eu cochilava numa cadeira durante o dia, enquanto vigiava o trabalho das enfermeiras estressadas e nada carinhosas. Uma delas carregava um molho de chaves barulhento pendurado na cintura. O som das chaves batendo contra os berços de ferro era estridente e assustava os bebês. Certa vez, numa manobra errada com a máquina de soro, uma delas inverteu o caminho da bomba, ou seja, em vez de fazer descer o soro, o aparelho começou a retirar o sangue da veia do João. Se eu não tivesse visto o sangue subir pelo cateter e tingir de vermelho a bolsa de plástico, se eu estivesse dormindo, talvez ela o tivesse matado. Fiquei emocionalmente abalada, reclamei e a enfermeira desapareceu do andar.

Para fugir do estresse dos apitos das máquinas do CTI, às vezes, quando João estava tranquilo, eu passeava pelas alas do nosso andar. Foi quando descobri uma sala de recreação com um violão encostado. Algumas crianças brincavam com seus acompanhantes, umas com suas bolsinhas de soro no suporte, outras com curativos. Passei a me refugiar ali para dedilhar músicas simples que pudessem agradá-las. Um dia me veio a canção do Paul Simon, "The Boxer", e junto com outros pais e enfermeiros cantamos a balada folk a muitas vozes.

*I am leaving, I am leaving*
*But the fighter still remains*
*Lie-la-lie...**

Minha mãe diz que os bebês nascem como estrangeiros, que vêm falando uma língua própria que temos que aprender a entender. Aquela cena dos comerciais de seguro de saúde, em que a criança chega em casa nos braços da mãe sorridente vivendo dias de felicidade e paz pode acontecer na cabeça dos publicitários, mas tem pouco a ver com a vida real. Bebês vêm sem horário nem bula. Dormem demais, dormem de menos, choram sem motivo,

* "Estou indo embora, estou indo embora/ Mas o lutador ainda continua/ Lá, lá, lá..."

choram com motivo. São agentes da modernidade que desconstroem a vida das pessoas. Com João não era diferente. A fase de me ensinar a decifrá-lo nos enigmas básicos já tinha passado. Manifestações de fome, sono e cólicas já eram bem compreendidas por mim. Ele passava bem, e eu era feliz com essa relação. Era a minha primeira viagem, eu não conhecia outro bebê de tão perto. Seus pequenos progressos me davam alegrias normais de mãe. Eu sabia como virá-lo de lado, aconchegá-lo com travesseiros e fazê-lo dormir. Ele reclamava e chorava agudo quando a cabeça doía. Tínhamos uma ligação forte. Eu não sentia pena dele, tinha orgulho de vê-lo lutar pela vida desde que saiu da primeira cirurgia no Brasil, logo depois de nascer. Admirava sua valentia, seu coração forte e elogiado por todos os médicos.

O novo procedimento era arriscado. Passamos onze dias no hospital só para exames e preparações antes que finalmente a cirurgia acontecesse. Os dois cirurgiões, plástico e neuro, trabalhariam em dupla. Um mexeria nas suturas do crânio e o outro na correção das órbitas. Estávamos nas mãos dos maiores medalhões dos Estados Unidos e cheios de esperança quanto ao resultado. Tínhamos a confiança cega de quem sonha com o melhor, a confiança do otimismo. Tudo era experiência em tempos em que ainda não sabíamos nada sobre a síndrome. João já tinha passado por três cirurgias cranianas e duas abdominais no Rio de Janeiro. A ida a Nova York era para tentar o avanço do osso frontal. Até então, não se fazia esse procedimento no Brasil. A intervenção poderia melhorar as órbitas saltadas, a passagem de ar na respiração e o desenvolvimento de todos os ossos da face. Nós queríamos soluções para fazê-lo viver melhor. Qualquer pessoa que viesse com uma proposta a gente aceitava, especialmente se tratando de médicos famosos, medalhões americanos que cobravam fortunas em seus consultórios milionários.

Hoje eu não faria o mesmo. Temos mais informação sobre casos de síndrome de Apert, mais estatísticas e mais médicos com experiência em lidar com essas más-formações. Mas naquele tempo confiamos demais e operamos demais. Essa cirurgia foi considerada um sucesso naquele momento, mas deixou sequelas que resultaram em novos problemas e novas cirurgias, que desencadearam outros erros e que fizeram a gente penar. Que dirá o nosso herói.

Foram dez horas de sala de operação. Miguel e eu passávamos de hora em hora pelo centro cirúrgico para saber notícias. Miguel teve febre, acho que de tanta ansiedade. Já era quase noite quando João saiu para o CTI. Ligamos para o Brasil para dizer que a cirurgia tinha acabado e que ele estava bem. Porém, não havia certeza do que eles tinham efetivamente conseguido fazer.

Durante todo o pós-operatório João usou bandagens que deixavam pouco do seu rosto à mostra, como um capacete de astronauta. Não dava pra ter uma ideia do resultado. Aos poucos, as ataduras foram sendo retiradas, mas os ganhos não eram visíveis. Parecia esforço demais para pouca mudança. O inchaço era enorme e ia demorar alguns dias para percebermos se algo havia mudado. A gente queria acreditar que ele sairia dessa com uma boa melhora. De qualquer maneira, ficaríamos na cidade durante mais um tempo para os curativos e a observação dos médicos.

Fomos para um apartamento emprestado que ficava perto da Terceira Avenida, na rua 51, no sofisticado East Side de Manhattan. Tínhamos amigos no consulado, e Barbara Chevalier, irmã da Scarlet Moon, foi quem nos ajudou com essa tarefa. Sem ser grande nem pequeno, era confortável, com todos aqueles eletrodomésticos americanos fantásticos e a lavanderia no subsolo.

Fui criada no Brasil com pelo menos uma empregada à volta. Durante toda a minha vida, a roupa sempre esteve dobrada ou pendurada no armário, a cama feita com o lençol de algodão passadinho, o café magicamente preparado de manhã cedo. Não fui educada, como toda a minha geração de classe média do Rio de Janeiro, para os serviços de casa, algo tão natural na Europa e nos Estados Unidos. Sempre me considerei prendadíssima por ter, desde criança, noções de costura e por saber cozinhar, assar bolos, fazer empadinhas e outros quitutes. Quando menina, eu me metia na cozinha, aprendia e ajudava a cozinhar, mas nunca lavei os pratos e nem tive obrigações de arrumar a casa e cuidar da roupa.

Nessa viagem descobri que eu era uma analfabeta do lar, uma idiota total, incapaz de arrumar, limpar e lavar a roupa, que dirá tudo isso com um bebê que exigia cuidados especiais. Me tornei um perigo. Uma ameaça à integridade do apartamento e à segurança da cidade de Nova York.

No primeiro dia, pedi uma pizza. O entregador chegou, eu paguei. João chorou, eu pousei a caixa gigante de papelão na mesa da sala. Cuidei do bebê. Quando voltei, a caixa não saía mais da mesa. O verniz do tampo de madeira derreteu com o calor da pizza e se misturou para sempre ao papelão. Tentando tirar a caixa grudada, puxava os pedaços rasgados de papel e o óleo abundante da mozarela pingava no tapete.

Em seguida, meti a louça na máquina de lavar pratos e derramei o detergente no reservatório destinado ao sabão. Fui dar banho no bebê sonhando que era uma daquelas donas de casa americanas que vimos tantas vezes na sessão da tarde. Uma hora depois, o detergente, que obviamente não era apropriado para a máquina de lavar, produziu um bloco compacto de espuma que saía pela porta da cozinha e avançava pela sala, inundando o apartamento.

Num terceiro momento, fui lavar a roupa no porão. A maioria das casas e apartamentos americanos tem essa instituição — o *basement*. Trata-se de uma lavanderia comunitária onde você faz funcionar as máquinas de lavar e secar com moedas e usa os produtos ali disponíveis. Eu não sabia o que era *bleach*, mas pensei que poderia ser o sabão líquido. Quando retirei a camisa Lacoste vermelha da máquina, as camisetas brancas e as roupinhas do bebê estavam todas cor-de-rosa. Aprendi na prática que *bleach* significa água sanitária.

Com João arrumadinho e alimentado no berço, fui passar roupa. Com o ferro quente, comecei a tarefa por um penhoar de nylon azul, comprido. Numa fração de segundos a peça colou no ferro quente, o que provocou uma fumaça densa, preta e fedorenta. O alarme de incêndio do prédio disparou, os vizinhos vieram acudir. O apartamento nunca mais recuperou o perfume de casa americana, e o penhoar azul foi para o lixo com um rombo no formato do ferro.

No apartamento de Manhattan, além de destruir o que estava em volta, eu passava o tempo brincando e cuidando do João. Ele estava se recuperando da cirurgia, com seu turbante de ataduras, e dormia por horas seguidas. As lembranças dessa viagem são quase todas em torno dos cuidados com ele nesse pós-operatório delicado. Longe do mundo, quase sem notícias do Brasil. A comunicação mudou tanto de lá para cá que a gente não lembra mais o que era fazer um telefonema internacional. Custava caro e não se cogitava falar mais de cinco minutos por ligação. Naquele início dos anos 80, a vida não tinha computador nem celular. A grande lembrança que guardei do telefone tocando, trim, trim, trim, foi numa tarde abafada de agosto quando Miguel atendeu a chamada e ficou sabendo da morte do Glauber Rocha. Não lembro se foi Cacá Diegues ou Luiz Carlos Barreto quem deu a notícia. Mas vinha do Brasil a tristeza e o luto pela morte de um dos seus melhores amigos. Glauber morreu. Uma referência forte para Miguel. Como um irmão mais velho, petulante e original, que exercia fascínio e admiração sobre o mais novo. Os dois dividiram um apartamento em Paris anos antes, e naquela tarde a notícia soava desafinada e descabida. E não dava para correr para a internet em 1981 e saber mais do que isso. Só dava para sentir a tristeza pairando naquele apartamento de carpete marrom junto com a estranheza que dá quando percebemos que no mundo dos vivos aquela pessoa não existe mais.

Os curativos já tinham sido trocados, mas ainda deixavam só os olhinhos, o nariz e a boca de João à mostra. Um dia, me cansei de ficar em casa e resolvi passear com ele. Afinal, estava em Nova York, a cidade que eu cultuava havia anos. Tinha passado bons tempos lá em 1978 com Marcos Paulo, meu então namorado. Marcos era galã da TV Globo e sonhava em ser diretor. Voou para Nova York onde passou um ano estudando na New School, tudo pago pela Globo. Na ocasião, fui duas vezes visitá-lo e conheci a cidade, que era muito diferente da atual. Mais perigosa, mais dividida. O metrô era mal frequentado e ficar nas estações depois de dez da noite era arriscado. Havia uma onda de estupradores que atacavam mulheres nos elevadores. Anúncios alertavam para que nós ficássemos atentas a qualquer sinal e jamais entrássemos sozinhas num elevador com um homem desconhecido. O SoHo era um bairro escuro para onde os artistas estavam se mudando em busca de grandes espaços para seus estúdios. Foi quando ouvi a palavra loft pela primeira vez. A diferença entre Nova York e o resto dos Estados Unidos fazia-se ainda mais acentuada. Washington Square cheirava a maconha e haxixe. Íamos a festas malucas em que casais transavam pelos sofás. No interior, os americanos conservadores diziam que Manhattan era uma ilha que, caso se desprendesse e flutuasse pelo oceano afora, não faria a menor falta para o país. Minha paixão por Nova York já existia, e a cidade estava lá fora me chamando.

WHITNEY
MUSEUM

Resolvi atender ao chamado e comprei uma daquelas bolsas de carregar bebê como canguru, meti João ali dentro, cobri-o com um lenço e saí andando pela cidade. No Whitney Museum estava em cartaz uma retrospectiva da Disney.

Achei que era um bom tópico para a primeira visita de um bebê a um museu. Dirigi-me ao velho Whitney, na Madison Avenue, no suntuoso bloco de concreto projetado por Marcel Breuer, onde estavam expostos originais dos esboços, desenhos, aquarelas, pinturas com ecoline e transparências dos Estúdios da Disney. Entrei com João camuflado numa sala escura onde ia começar um vídeo.

Na tela, uma cegonha sentada numa nuvem trazendo consigo um saco pesado procura por Lady Jumbo. Ela pousa num vagão de trem. Cinco elefantas sorridentes recebem o pássaro num clima de muita alegria. Uma delas é Lady Jumbo. Ela pega a encomenda, assina um documento com a tromba, e a cegonha declama: "*Here is a baby with eyes of blue/ straight from heaven, right to you*".*

As amigas olham o bebê encantadas, até que uma faz cócegas na sua trombinha e ele espirra. Nesse momento, revela-se a sua anomalia. Um par de orelhas gigantes, sobre as quais até então ele estava sentadinho. As amigas se assustam e fazem comentários maldosos, caçoando do bebê. A mãe reage indignada e, com uma trombada, bate a porta na cara das quatro. Nesse momento, ela delicadamente embrulha Dumbo em suas próprias orelhas fazendo uma trouxinha, o embala e protege. Fim do vídeo.

Fiquei ali sentada no escuro da sala de projeção embalando a minha trouxinha. Meu pai, psicanalista, estudou com Carl Gustav Jung e nos ensinou desde cedo o que era sincronicidade. Esses momentos mágicos em que acontece uma coincidência cheia de significados e mensagens. Eu estava vivendo uma sincronici-

* "De olhos azuis aqui está um bebê/ vindo dos céus só pra você."

dade que era um presente pra mim. Eu confirmava que amor de mãe é isso, seja o filho do jeito que for, orelhudo, cabeçudo, ou até mesmo um bebê sem condições de sobreviver. Seja lá o que a cegonha entregar, a gente acaba amando igual.

# Projeto família

Meu pai e minha mãe se casaram jovens, coisa normal nos séculos passados. Nas fotografias a gente vê o rapazote e a mocinha, elegantes em seus trajes caprichados de casamento. Ela com cabelos pretos, sorriso imenso e iluminado, e ele alto, olhos verdes e semblante triste como o dos príncipes de Gales. Os dois vinham de duas tribos diferentes. Ele, de família rica, descendente de industriais americanos e tradicionais fazendeiros quatrocentões de São Paulo. Vivia num apartamento na avenida Atlântica de setecentos metros quadrados, cercado de móveis ultramodernos de Joaquim Tenreiro, e com uma tela de colagens de Matisse de quatro metros de largura na parede da sala de jantar. Ela, de uma tradicional família mineira, filha de engenheiro ferroviário, gente menos abastada para quem a moeda abundante era a cultura europeia. Meu avô materno chamava minha avó assobiando o leitmotiv de *Siegfried*, de Wagner, e sabatinava as filhas acerca dos grandes compositores, o número do opus e a tonalidade de suas obras. Tudo na casa da minha família materna girava em torno de literatura e música, e entre eles prevalecia um senso de humor crítico e mordaz.

Na casa dos meus avós paternos o mundo era outro. Meu bisavô foi um visionário, ligado ao desenvolvimento do Brasil e suas primeiras usinas elétricas. Foi também pioneiro na área de comunicações, fez a primeira transmissão de rádio e produziu o primeiro filme sonoro da nossa indústria. Apesar de toda a modernidade, o ambiente era mais sisudo, quadrado, sem o alvoroço a que eu estava acostumada. Visitá-los era duro pra mim, e eu chorava pra não ir. O elevador de aço cheio de espelhos ia até o sexto andar e dava na sala imensa de onde se via o mar de Copacabana. Nos extensos corredores, havia quartos que nunca acabavam e uma salinha com um retrato pintado a óleo de um primo, morto tragicamente num acidente de carro poucos anos antes. A imagem daquele menino louro de olhos claros, vestido de tirolês, andava pela casa e assombrava meus sonhos. Uma vez meu pai me deixou um presente em cima da cama de um dos vários quartos e pediu que eu fosse lá buscar a surpresa. Andei pelos corredores sozinha de olhos fechados para não ver o fantasma do menino. A curiosidade de encontrar a prenda era maior do que a fobia, mas a lembrança dessa caminhada me custou noites de angústia.

As duas famílias não tinham absolutamente nada a ver uma com a outra e jamais se misturaram. Minha avó paterna era austera, magra, quase não sorria e estava sempre tentando corrigir alguma coisa em mim. Não devia fazer por mal, mas isso agravava minha sensação de não pertencer ao mundo dela; eu não apenas suspeitava que ela não gostava de mim. Eu tinha certeza absoluta de que ela me odiava.

Minha avó materna, pelo contrário, me envolvia com seus braços gordos e geladinhos, e eu a venerava. Era violinista, mas seu marido nunca gostou que ela tocasse. O instrumento era quase uma lenda para nós, mas de vez em quando saía da caixa para desagrado do nosso avô. Quando minha avó chegava ao nosso pequeno apartamento, no Bairro Peixoto, em Copacabana, sentava-se ao piano e tocava todas as valsas de Chopin quantas vezes a gente pedisse. Depois dizia que não sabia tocar nada e mudava de assunto. A música era tão fácil e natural na família que não se tinha cerimônia alguma com ela. Tenho pena da minha avó Doquinha não ter conhecido o João. Foi por pouco, pois ela morreu um mês antes de ele nascer. Imagino que ela o acolheria e o embalaria com o inesquecível som do seu piano.

Meu pai, Carlos, estudante de medicina, conheceu minha mãe, Vera, aluna de belas-artes, num baile do Fluminense e se apaixonou loucamente. A moça educada pelas freiras do colégio Assunção não permitia que ele a tocasse, e o namoro se deu em torno de selinhos e abraços. O noivado não foi além disso. Minha mãe nunca transgrediu as duras regras que não permitiam de modo algum a intimidade antes do casamento. Casaram-se aos 21 anos, e ela engravidou de cara, na lua de mel. Passaram então os primeiros meses de casados entre enjoos e preparativos para o nascimento da primeira filha, Elisa. Um ano e meio depois nasceu a segunda filha, Rita. Dois jovens inexperientes com duas crianças pequenas, meu pai recém-formado em medicina e minha mãe dedicada às tarefas da casa. As diferenças vieram à tona e a separação se deu nesse cenário.

Fui gerada em um breve reencontro amoroso, meses depois. Nunca decidi dentro de mim se isso foi uma eventualidade acertada ou um desastre. Por um lado, deve ter sido um encontro intenso e irresistível, e eu não estaria aqui sem ele. Por outro, me trouxe a um mundo partido, cheio de brigas e discórdias. Dentro de mim deve haver essa lacuna de ouvir as vozes dos dois se misturando, a presença do homem na casa, minha mãe amada e reconfortada. Nas minhas brincadeiras de Barbie e Ken, os dois bonecos se casavam no primeiro encontro e eram felizes para sempre. A Barbie noiva era a minha preferida. Pode ser que isso explique eu ter me casado tão cedo e me apressado a fazer uma família diferente daquela em que fui concebida. Talvez eu tenha tido meu primeiro filho aos 22 anos para realizar de uma vez esse sonho da família perfeita.

Cresci num colégio de freiras conservador me considerando a ovelha negra entre as meninas da turma. Tinha a sensação nebulosa de não pertencer ao mundo onde me encontrava. Eu era a mais nova, e minha mãe adiantou minha entrada no primário para facilitar as idas e vindas das três irmãs à escola. Meu pai tinha se mudado para um país frio e distante chamado Suíça. Foi estudar uma ciência não menos longínqua e excêntrica chamada psicanálise. Para mim, ele era um homem numa fotografia na neve sobre um par de esquis, que de vez em quando vinha nos visitar. Alto, branco, de bigode e cavanhaque. Usava camisas de manga comprida com um colete de lã por cima e não tinha lá muito jeito comigo. Um dia voltou de vez. Chegou de navio com uma mulher de chapéu bonita e elegante chamada Eva. Estavam casados, e nós três — Elisa, Rita e eu — fomos esperá-los no cais do porto com roupa de domingo. A convivência passou a se dar em fins de semana e férias, mas havia uma montanha de gelo entre nós. Do casamento de Eva e Carlos veio ao mundo nossa quarta irmã, Bianca.

Ser filha de pais separados era uma aberração no status quo do colégio Sacré Cœur de Jesus. Eu tentava acompanhar a turma a duras penas e minha dificuldade de entender o mundo religioso se somava ao terror do ambiente de meninas espertas e escancaradamente protegidas pelas madres. Eu nunca entendi o porquê de terem me colocado naquele inferno. Mesmo considerando que era o colégio das meninas chiques, mesmo sabendo que minha mãe queria que fôssemos criadas num modelo de educação aristocrática e *raffiné*, nada justifica, até hoje, a meu ver, termos sido submetidas ao ambiente doentio, repressor, soturno e tirânico do colégio de freiras.

Quando eu tinha sete anos minha mãe, numa atitude moderna e esclarecida, revelou a mim que bebês não eram entregues pela cegonha. Só se esqueceu de dizer que isso era segredo. Rapidamente, resolvi espalhar meu aprendizado sobre a vida sexual dos adultos para as colegas mais próximas. Reuni as meninas e divulguei tudo o que sabia. O tudo não era explicado com detalhes exatos, mas mostrava finalmente minha superioridade em algum assunto. Revelei o que os pais delas faziam à noite de portas fechadas e devo ter inventado algumas coisas para impressioná-las ainda mais.

No dia seguinte fui recebida pela madre superiora na porta da escola. Numa sala escura fui acusada e condenada por ter tirado para sempre a pureza das meninas. Fui amaldiçoada pela minha conduta e passei o dia de castigo na capela, coberta de penitências e convencida de que eu realmente era um caso perdido.

Ao chegar em casa, contei sobre o meu comportamento criminoso e depravado para minha mãe, que, sem perceber a gravidade do fato, riu quando mencionei os disparates que as freiras haviam dito. Dentre eles, que quando meus seios crescessem eu nunca deveria tocá-los e que jamais deveria me olhar nua no espelho.

Mal sabia minha mãe que aquilo me marcaria tão profundamente que, tempos depois, eu ainda estaria elaborando a dor de ter sido jogada no fogo do inferno das gravuras dos livros do colégio. Eu acreditava em Deus, achava que jamais escaparia do Juízo Final depois desse episódio.

Alguns anos mais tarde fui salva pelo colégio Andrews, cheio de meninos e liberdades. Nem por isso me tornei uma aluna exemplar. Fiz bons amigos e segui procurando um lugar, um caminho onde eu me sentisse bem até chegar à música. Para meu pai, a arte era um hobby, e, para minha mãe, uma atividade a

ser curtida em casa, mas nunca encarada como profissão. Desde cedo eu sentia uma enorme atração pelo que ouvia. Quando pequena, passeava com facilidade pelas vozes nos corais, sabia as partituras dos outros naipes e intimamente me divertia com essa compreensão profunda das melodias e harmonias. Brincava sozinha de acertar o tom da faixa seguinte de um disco e de reconhecer e seguir instrumentos no meio de peças sinfônicas. O mundo parecia complexo e cheio de problemas, mas a música era fácil e eu podia passar horas a fio com o meu violão tirando canções ou fazendo vocais para os Beatles.

Fui virando cantora e me afirmando como tal, procurando força nas minhas irmãs e nos amigos. Desde menina tive ajuda da psicanálise. Tinha ainda doze anos quando iniciei o processo que se tornou uma bússola no faroeste tropical da minha adolescência. Aquelas sessões na casa antiga de Botafogo, onde às vezes eu apenas me sentava no chão para jogar cartas com minha analista, me proporcionavam colo e aconchego. A infância remexida, o colégio de freiras, os sonhos e pesadelos que eu levava para as sessões, tudo era acolhido por Lourdes Toledo, que me guiava nessa rearrumação de sentimentos e lembranças baralhadas.

Naquele tempo surgiu a análise de grupo, que era uma forma mais socialista de se fazer psicanálise. Todos os analistas abriram sessões em seus consultórios, que viraram febre nos anos 70 e 80. Meu pai foi um dos precursores dessa técnica. Em vez do tête-à-tête com a terapeuta, minhas sessões individuais foram substituídas por esses encontros adoráveis em que uns se metiam nos problemas dos outros e se ajudavam enquanto eram ajudados. Junto àquelas pessoas, fui crescendo e me fortalecendo na escolha dos caminhos a seguir. O grupo era como uma boa família fora de casa. As sessões eram seguidas de um jantar fora em que as conversas se estendiam e as amizades se solidificavam. Quando João nasceu, o grupo estava ao meu lado. Foram esses amigos os que mais me apoiaram e se mantiveram solidários no nascimento e na primeira infância do meu filho.

Comecei a trabalhar bem cedo, aos quinze anos, cantando jingles numa agência de publicidade na Cinelândia. Fiz um teste e fui contratada como vocalista. A Aquarius era frequentada por músicos famosos, e naquele ano se deu minha iniciação à vida profissional de estúdio de gravação e todo o aprendizado da técnica de cantar em microfone. Ajudada pela facilidade que tinha para armar vocais e decorar vozes, passei a ganhar um bom dinheiro e, com isso, independência e ousadia. Me inscrevi no curso de violino do Festival de Verão de Curitiba à revelia do meu pai e fugi para lá com meu namorado, o flautista Paulo Guimarães. Passei um mês ensaiando a *Missa Solemnis* de Beethoven, no grupo das sopranos que cantavam as notas mais agudas, e dividindo o quarto do pensionato de freiras com a talentosa aprendiz de piano Deborah Colker, que mais tarde se tornaria a famosa coreógrafa. De noite assaltávamos a geladeira das freiras.

Eu era distante dos meus pais. A relação de total proximidade que hoje tenho com meus filhos nada tem a ver com a que tinha com eles. Desde cedo passei a não dar satisfações sobre os meus atos. Saía de casa, trabalhava, ia deixando de estudar e mergulhando cada vez mais no meio musical. Passava as tardes na Pro-Arte e por uns tempos quis trocar de família. Fui praticamente adotada pela então diretora da escola, Salomea Gandelman, mãe de Lia, Leo e Marisa, que faziam parte de um grupo de música barroca, o Pro-Arte Antiqua. Naquele apartamento em Laranjeiras, tudo era música. Havia sempre alguém sentado ao piano tocando uma peça de Bach, Bartok ou Chopin e, se por acaso esse alguém errava uma nota, Salomea gritava lá de dentro, mesmo que estivesse debaixo do chuveiro:

– É Lá sustenido!

Eu estudava violino, violão e teoria musical e me sentia à vontade como Olivia Gandelman, que era como me chamavam, só de farra. Foi tocando "Martha My Dear", do Álbum Branco dos Beatles, numa festa que conheci o violoncelista Jaques Morelenbaum, com quem fiz o meu primeiro conjunto de rock, o Antena Coletiva. Ele não durou o tanto que eu queria porque Jaquinho foi chamado para fazer parte de outro grupo que tocava uma música mais elaborada e inovadora, A Barca do Sol. A Barca tinha Egberto Gismonti como padrinho e não demorou para gravar seu primeiro LP.

Tempos depois, este foi o conjunto que me acompanhou no meu primeiro vinil. Na véspera desse disco começar a ser gravado, marcamos uma reunião para os ajustes finais. Eu morava com meu pai em São Conrado, numa casa de arquitetura normanda com piscina e jardim. O encontro seria no Alto Leblon, na casa dos pais de Geraldinho Carneiro, meu parceiro e produtor do disco. Geraldo era namorado da minha irmã Elisa e irmão do

Nando Carneiro, por quem todas as meninas e fãs do grupo eram apaixonadas. Era domingo, dia da semana que sempre me deixou melancólica. Tardes de domingo me lançam no pior da minha infância: uma luz fraca de teto acesa, a volta ao colégio, as obrigações maçantes do dia seguinte, o som de algum rádio transmitindo o futebol, a vinheta do *Fantástico*, as lições de casa por fazer. Essa tristeza dentro de mim se repete até hoje com hora marcada.

Saí de casa para pegar um ônibus no hoje abandonado Hotel Nacional. Ali ao lado estava em construção um grande complexo de prédios e o shopping Fashion Mall. Era um lugar ermo e nada seguro. Me despedi de minha irmã Elisa, que me disse da janela:

— Boa sorte!

Alguns passos adiante, fui abordada por um sujeito que pediu para que eu o abraçasse. Senti a ponta da faca na barriga.

— Vai em frente ou eu te furo.

Fui andando devagar, torcendo para que algum carro percebesse que aquela encenação insólita era um assalto. Entretanto, era quase noite e os automóveis cortavam a pista velozmente. Éramos invisíveis. O algoz me encaminhou para o campo de golfe deserto e, quanto mais andávamos gramado escuro adentro, mais eu sabia o que me esperava. O homem me rasgou a camisa e se pôs sobre mim como um animal selvagem. Não suportei o asco, a ojeriza, o horror e o empurrei com toda a fúria. Sem raciocinar, tentei escapar, reagi, dei alguns passos me defendendo dos golpes, ele perdeu a faca no gramado e saiu agachado no escuro procurando a arma. Enfurecido, partiu para cima de mim aos murros e chutes até estar certo de ter acabado o serviço. Eu havia percebido que a luta só teria fim com a minha própria morte e parara de reagir e de respirar. Senti o seu último golpe, que foi arrancar uma pulseira de ouro do meu pulso. Era um presente da minha avó paterna, lembrança que ela dava para todas as netas ao completarem quinze anos. Adorava aquela pulseira, que no meu braço convivia com tirinhas de couro e surradas fitinhas do Senhor do Bonfim. Agora sentia os elos da corrente rasgando minha pele, e a seguir o silêncio. Conheci a beira da morte debaixo da imensidão das estrelas, o corpo estendido e a sensação da força da gravidade diminuindo contra o gramado úmido. Me agarrei a um último fiapo de energia e caminhei até a estrada (hoje a Lagoa-Barra). Alguma força milagrosa me trazia de volta ao mundo dos vivos. Quase tive que me atirar debaixo de um carro para conseguir socorro e seguir para o hospital Miguel Couto, e depois para a clínica do cirurgião plástico Ivo Pitanguy, de onde fui sair vinte dias depois com ataduras no nariz fraturado, um trauma na coluna cervical e um princípio de descolamento de retina.

Nas trevas, estive corpo a corpo com a crueldade sem limites. Esse acontecimento me deu a consciência profunda, marcada na carne, da dimensão infinda da maldade, da violência e do ódio nos olhos de um semelhante. Não na tela do cinema, nem na manchete do jornal, mas na pele. Passei a olhar o mundo com menos glamour e saber que assassinos andam à solta e podem estar esperando você na próxima esquina. O medo agora era real e, assim como no nascimento do João, tive que lidar com essa experiência buscando uma coragem que eu não sabia que tinha. Absorver esse trauma me livrou de me tornar uma pessoa ressentida e temerosa.

Foi nesse ambiente que gravei, em 1978, meu primeiro disco, com o nome emblemático *Corra o risco*. Ele foi lançado no Teatro Ipanema, e a música "Lady Jane" foi para as paradas de sucesso. A temporada teve cadeiras extras do primeiro ao último dia e, com o sucesso do disco e do show, fui parar no efêmero Olimpo das celebridades.

No ano seguinte, saí de casa. Eu tinha dezenove anos. Com um fusca azul-marinho e alguma ajuda do meu pai, aluguei um quarto e sala no edifício My Darling, na rua José Linhares, no Leblon. Foi quando conheci Miguel, no meio do Carnaval de 1979, filmando na Marquês de Sapucaí, antes da construção do Sambódromo. Miguel era quinze anos mais velho que eu e estava dirigindo o filme *República dos assassinos*. Ele morava num quarto de hotel no mesmo bairro. O Hotel Carlton, que já não existe mais, na rua João Lira, era o refúgio dos homens separados e solitários. Todos iam parar no Carlton depois de brigas domésticas. Eram tempos em que se bebia uísque em grandes doses, e as separações às vezes duravam até a ressaca do dia seguinte. Ali também morava o jornalista Tarso de Castro, e vira e mexe aparecia o Chico Buarque, que levava, para passar a noite, a máquina de escrever, o violão e um par de meias. Arnaldo Jabor, Cacá Diegues, todos eles passaram por ali.

Foi nesse cenário que entrei de vez para o "modo" adulto. Consegui um apartamento na rua Timóteo da Costa, também no Leblon, para Miguel e ajudei-o na mudança e na organização da casa. Não demorou para que eu largasse o My Darling e fosse morar com ele. Minhas irmãs Rita e Elisa já moravam com seus respectivos namorados. Não era comum na nossa geração casar no papel. Morar junto já era o casamento. No entanto, Miguel e eu quisemos oficializar nossa união. Acho que foi ideia minha, ainda fruto do meu sonho infantil de Barbie e Ken.

Casamos com uma grande festa na casa dos pais do noivo, Gisah e Miguel. Na companhia de Tom Jobim, Tarso, Chico, Joaquim Pedro de Andrade, Jabor, Cacá (que era o padrinho), Lulu Santos e Scarlet Moon, a festa durou até a madrugada e terminou em baile de Carnaval com uma bebedeira enorme.

Meu projeto família começou aí. Eu tinha vinte anos.

No ano seguinte, já casada com Miguel, lancei o vinil *Anjo vadio*. A música que dava título ao disco era uma parceria com Geraldo Carneiro:

*No meu lado delirante*
*tem sempre um anjo vadio*
*andando de trás pra diante*
*bêbado feito uma porta*
*proclamando aos sete ventos*
*que o mundo não tem saída*
*dizendo que não suporta essa vida.*

O disco, lançado pela Som Livre, tomou um rumo diferente do meu primeiro disco solo. Eu andava meio perdida depois de ter rompido com A Barca do Sol, o grupo que tinha me acompanhado no *Corra o risco*. Os meninos do grupo seguiram carreira solo e não puderam ir adiante com meu projeto.

Miguel me ajudou no lançamento do *Anjo vadio* e me dirigiu no show que estreou no teatro Procópio Ferreira, em São Paulo. No cenário, um neon com a baía de Guanabara, para o show mais desengonçado que eu já fiz na vida. Não por culpa de Miguel, mas o contexto era canhestro para uma menina em começo de carreira. Tudo era anacrônico. Velhos músicos profissionais, trocas de figurino, nada combinava com a cantora de dois anos antes no Teatro Ipanema, com A Barca do Sol. Era o meu desencontro comigo mesma projetado na carreira. Aos 21 anos eu tinha me afastado da minha turma de músicos, das pessoas da minha idade e da música que eu fazia. Foi nesse momento que eu engravidei. Lembro-me hoje com certo mal-estar de como estava ansiosa para ser mãe. Penso na idade ridícula que eu tinha. Minha ginecologista, diante da queixa por não engravidar depois de apenas três meses de tentativas, me deu uma medicação para ajudar na ovulação. Fiquei grávida em junho, e nós comemoramos a notícia. Eu me perguntei muitas vezes se o remédio para a ovulação poderia ter contribuído para a síndrome do João, mas recentemente descobriram que não é do óvulo que vem a mutação do gene.

# Por que ele não sorri?

Os Apert têm duas características principais que se resumem ao termo acrocefalossindactilia. A primeira é, grosso modo, o fechamento da caixa craniana ainda no útero. Isso faz com que o cérebro empurre as placas do crânio e a cabeça adquira uma forma de torre. A segunda é a fusão dos ossinhos dos dedos dos pés e das mãos. João veio com essas características e mais outras de quebra, que não são tão frequentes na síndrome, como o caso da membrana do estômago. Mas só essas duas principais já eram bem graves no caso dele, e difíceis de tratar. Suas mãos precisaram logo ser operadas e o resultado ainda hoje é longe de ser satisfatório. Atualmente vejo pela internet resultados melhores do que os que conseguimos, com mãos reconstruídas com até cinco dedos. Lastimo que ele não tenha usufruído dessas novas técnicas cirúrgicas quando nasceu.

Para a primeira cirurgia das mãos, recebemos a indicação de um médico especialista na Argentina, Eduardo Zancoli. Ele tinha operado várias crianças brasileiras com sucesso. O próprio Pitanguy indicou o argentino. João tinha seis meses e nós mal tínhamos nos recuperado da viagem a Nova York quando pegamos outro avião até Buenos Aires para tentar ajeitar suas mãozinhas. A promessa era melhorar a funcionalidade, porque a estética já era comprometida e ponto.

Nossa espécie se difere dos outros animais pelo fundamental movimento de pinça: o polegar se movimenta independentemente dos outros dedos, fazendo oposição a eles (daí o nome "polegar opositor"). Dominamos o planeta graças a essa função especial. Com um simples movimento, um detalhe na complexidade do nosso corpo, fizemos o fogo, fabricamos ferramentas e elaboramos os aparelhos complexos que suprem muitas das nossas fraquezas e fragilidades.

Essa primeira cirurgia nas mãos tinha como único objetivo liberar o polegar para que João adquirisse essa funcionalidade primordial e fundamental para traçar o caminho da sua independência. Uma cirurgia feita precocemente ajuda no desenvolvimento das mãos. No caso do João, a mão direita sempre foi mais comprometida que a esquerda. Os polegares liberados dariam uma imensa funcionalidade às suas mãos.

O sanatório Mater Dei em Buenos Aires era sombrio e lembrava os dias terríveis da minha infância no colégio Sacré Cœur. As enfermeiras eram as freiras ríspidas que arrastavam pelo corredor seus hábitos cor de manteiga. Internamos João numa sexta-feira, e ele não parava de vomitar. Ainda me arrepio ao me lembrar daquele quarto gélido e imenso com o chão de marmorite marrom-claro. No sábado, depois de longas horas dentro do centro cirúrgico, recebi João de volta com os dois bracinhos engessados, imobilizados, presos a talas de madeira. No crucifixo sobre o leito, uma imagem parecida com aquela que eu via dentro do berço. Ele tinha curativos também nas virilhas, de onde fora retirada a pele para o enxerto entre os novos dedos. João teve alta dois dias depois, mas deveríamos permanecer em Buenos Aires por mais vinte dias para as trocas de curativo. O médico queria fazer uma nova cirurgia na mão direita, a mais prejudicada. Mas ele não nos dava esperança alguma de grandes resultados. Ademais, fazer essa nova cirurgia, tão seguida da primeira, seria traumático para nós três. Optamos por não fazê-la e notamos alguma melhora na funcionalidade das mãos. Logo João aprendeu a agarrar o mordedor, o chocalho, a chupeta, mas ainda estávamos longe de ficar satisfeitos com o resultado. Cada vez a gente ganhava mais consciência da impossibilidade de corrigir de fato a sindactilia. Os médicos colocavam a culpa na desorganização dos ossinhos e na falta de elementos que favorecessem uma reconstrução. Diziam que era um dos casos mais graves que conheciam. A verdade é que havia um limite de atuação. Tudo evoluiu na cirurgia plástica reconstrutora. Hoje, depois de desenvolvidas as mãos, elas são o que são, não faria sentido reconstruir e perder funcionalidade em prol da estética.

Sofremos a dureza dos dias cinzentos do começo de outono em Buenos Aires, primeiro pulando de hotel em hotel, depois num apartamento alugado perto da Calle Florida. Em 1981, fraldas descartáveis eram um grande luxo, caríssimas, usadas apenas em ocasiões especiais. Eu revezava as descartáveis Pampers, importadas dos Estados Unidos, com as comuns de pano. Lavava e esfregava esses quadrados de algodão fino no tanque do lado de fora do apartamento, na água glacial, à qual se misturavam minhas lágrimas quentes.

Os curativos eram feitos no consultório do cirurgião. Eu aguardava cada visita ao médico com ansiedade para sair de casa e passear na cidade. Foram vinte dias confinados ali, naquele apartamento meio parisiense de tons melancólicos, teto alto e janelas compridas, entre intermináveis partidas de gamão. Foi lá que comemoramos o aniversário de Miguel, com um bolo feito por mim.

João dormia tranquilo na cama de solteiro. Como não se virava ainda e se movimentava pouco, eu o cercava de travesseiros, barrando as bordas do leito, e dormia tranquila em outro quarto. Numa tarde, ouvi um ruído seco no assoalho e corri para acudi-lo. As talas nos braços o mantinham praticamente na mesma posição; era improvável que ele tivesse rolado. Mas, não se sabe como, ele tinha se virado e caído no chão de uma altura considerável. Visivelmente não houvera nada, mas o pavor foi tão grande que eu liguei para o Brasil para relatar o acidente ao pediatra, que zombou de mim:

— Não confie nele. É um sem-vergonha. E mais: se você acha que o fato do seu filho ter uma síndrome vai livrá-lo de passar por tudo o que os outros bebês passam, pode esquecer.

Dali a vinte dias, resolvemos pegar o caminho de volta para o Brasil. Fomos liberados pelo médico argentino na condição de continuarmos os curativos e cuidados no consultório do dr. Ivo Pitanguy. As inúmeras crises de vômito que João teve durante a estada em Buenos Aires já eram sinal da necessidade de novas intervenções neurocirúrgicas.

Volta e meia eu entrava em crise sobre a necessidade de operarmos João tantas vezes. Hoje vejo casos bem-sucedidos da mesma síndrome, casos menos operados e com ótimos resultados. Há também gente que andou por caminhos alternativos, religiosos, cirurgias espirituais. Eu nunca tive vontade de me arriscar por aí. Mas concluo hoje que algumas das cirurgias foram precipitadas, feitas porque tínhamos certa pressa de vê-lo melhorar. É verdade que eu procurei ajuda na religião, rezei em vários credos, fui a terreiros de umbanda e candomblé, porém mais para me confortar do que para encontrar soluções práticas a problemas tão concretos. Em todos os casos, ouvi que João era um espírito avançado e iluminado, mas disso eu sempre soube, silenciosamente. Nunca tive vontade de tratá-lo a partir de ritos e crenças.

Será que tomamos decisões tão erradas e operamos o João tantas vezes à toa? Às vezes isso me enche de um sentimento aterrador, uma mistura de culpa e desconfiança em relação à nossa conduta. A verdade é que havia angústia de sobra e pouca experiência no tratamento precoce em Apert, o que fazia a gente correr em direção a qualquer sinal de ajuda. Quantas vezes entregamos João a mãos erradas. Mas não tínhamos como prognosticar, por exemplo, a sequela que a cirurgia no hospital da New York University deixaria. Viajamos até lá com esperanças e demandas desordenadas, como quem vai ao Oráculo de Delfos. Tínhamos mil interrogações que iam das funções neurológicas mais básicas até o desenvolvimento intelectual, passando por todos os mistérios da vida que ultrapassam o problema da síndrome. Chegamos e saímos de Nova York com as mesmas perguntas e alguns meses depois da operação constatamos que o desfecho daquele empenho todo não tinha sido o esperado. Fomos percebendo que um dos supercílios havia sido mais recortado que o outro, e que com o pulsar do cérebro aquela falha óssea ia aumentando e desalinhando totalmente os olhos de João.

Hoje penso se o certo não teria sido voltar a Nova York para tentar reparar o erro com os mesmos médicos. Mas viajar para fora do Brasil não era tão fácil como é hoje. As passagens eram caríssimas, ficar em Nova York, outros quinhentos. Isso estava fora de questão. Mas o que fazer com os olhos que estavam cada vez mais expostos? Um deles quase não se fechava, o que era perigoso, para além da parte estética. Em todos nós, a lubrificação da córnea se dá no piscar dos olhos, com essa máquina bem inventada que abre e fecha nossas janelinhas vinte vezes por minuto. No João isso não acontecia, e durante a noite era preciso fazer um curativo, fechando seus olhos com esparadrapo e pomadas oftalmológicas para proteger a córnea já machucada.

Fomos então atrás de um médico no Brasil que melhorasse a condição das órbitas, ajudando no fechamento das pálpebras. Novamente recorremos ao Pitanguy, que nos indicou um colega que poderia fazer esse trabalho de reconstrução. Até hoje me custa lembrar esse episódio. O cirurgião nos convenceu da ideia estapafúrdia de retirar um pedaço da costela do João para reconstruir o supercílio com um enxerto ósseo.

Não víamos outra saída e entregamos mais uma vez nosso filho. E, do lado de fora do centro cirúrgico, lá estávamos nós de novo, vivendo horas e horas de angústia à espera do resultado. João já tinha um ano e pouco, não era mais um bebezinho, precisava ser amarrado para não tirar os curativos. A cada vez que era internado, tínhamos de lidar com práticas complexas, a começar pelos exames de sangue. Suas veias finas eram como fios de cabelo e algumas já haviam sido tão perfuradas que não podiam mais ser usadas. Ficávamos na torcida para aparecer uma daquelas mãos mágicas que acertavam a veia na primeira espetada. Porém, o mais constante era ver a agulha entrar e sair sem sucesso, cinco, dez vezes, até vermos o sangue encher o tubo de ensaio. A certa altura, João já começava a berrar assim que via a enfermeira entrando com a malinha do laboratório.

Estávamos na Copa do Mundo de 1982. No dificílimo pós-operatório, ele vestia a camisa da seleção sobre a cicatriz na barriga de onde foi retirado o pedaço de costela, a cabeça enfaixada. No segundo dia depois da intervenção, João começou a ter febre, sinal de que o corpo poderia estar rejeitando a costela. A cabeça doía, ele chorava. A febre não cedia e a cada dia que passava a gente se dava conta do tamanho do erro cometido. Dez dias depois, lá estava ele outra vez, sendo submetido a uma nova cirurgia para a retirada do pedaço de costela. Mas a tristeza maior estava por acontecer. Na retirada do enxerto, esse médico-monstro cortou o supercílio do João como se corta a barriga de um peixe ou uma pizza e o costurou com linha grossa, deixando uma cicatriz como memento daquele desastre. Ao perceber a brutalidade do resultado, chutei a porta do centro cirúrgico. O filho da puta nunca apareceu nem sequer para cobrar o trabalho porco, deixando claro que pelo menos sabia a merda que tinha feito. Foi duro lidar com aquilo. Como esse homem foi capaz de cortar a testa de um bebê de um ano? Fico me perguntando: será que ele pensou que, como João nunca ficaria bonito, não havia por que caprichar na cicatriz?

Até hoje meu sangue ferve com essa lembrança.

Cabia a mim, a cada volta pra casa, o trabalho delicado de voltar a alimentá-lo, cuidar das cicatrizes e esperar o cabelo crescer novamente, cobrindo o caminho deixado de lembrança.

No mesmo ano, João passou por outras cirurgias na Clínica São Vicente. As placas cranianas, apesar de recortadas e afastadas na primeira cirurgia, iam crescendo e, cada vez que se encontravam, voltavam a calcificar levando a uma nova craniotomia. Era preciso então abrir outra faixa de osso. A internação se repetia, o quarto do hospital com a janela para o verde, o som das macas no corredor e o momento de entregar aquele embrulhinho para um dos enfermeiros. Os cirurgiões, naqueles dias, viravam pessoas de suma importância, depositários do desejo de ver a melhora do meu filho.

Apesar dessas cirurgias para aliviar a pressão, constatamos que um dos ventrículos do cérebro estava aumentado, sugerindo uma hidrocefalia. Mais uma vez a repetição do caminho para a sala de cirurgia, a entrega, a espera. Dessa vez foi introduzida uma válvula para drenagem do líquido. Um cano de borracha levaria o liquor do cérebro até o abdômen, evitando esse acúmulo e o consequente aumento da cabeça. A válvula funcionou, mas anos depois deixou uma lembrança terrível no corpo do João. Na ocasião em que foi feita a retirada da válvula, os médicos deixaram lá dentro um pedaço de cateter. É claro que quando aconteceu não tínhamos como saber disso, mas foi esse esquecimento que veio causar, muito tempo depois, quase um ano de sofrimento e outras tantas cirurgias.

# Vida que segue

No ano do nascimento de João, 1981, a convite de Nelsinho Motta, cantei a valsa "John" no Festival de MPB da TV Globo. Uma homenagem a John Lennon, que tinha sido assassinado seis meses antes. Para mim, além disso, era uma oportunidade de voltar a cantar para o meu pequeno John. A música, do próprio Nelson em parceria com sua mãe Xixa, tinha uma letra rebuscada com palavras em todas as línguas, numa tonalidade agudíssima. Eu me apresentei vestida de smoking com um jabô de renda branca. A música foi classificada, mas não tinha chance de ganhar, valeu para o recomeço da minha vida profissional.

Ainda no mesmo ano, fomos convidados por Chico Buarque para o Festival de Varadero, em Cuba. Era uma turma eclética de artistas que incluía João Bosco, MPB4, João do Vale, Kleiton e Kledir, passando por Naná Vasconcelos e Nara Leão, de quem fiquei amiga. Nara era reservada, introvertida. Conquistar sua amizade foi um orgulho. Cresci ouvindo seu violão, seu repertório bem escolhido e sua maneira inteligente e macia de interpretar canções. Miguel foi documentar a viagem junto com Ruy Solberg e fizeram um pequeno documentário que nunca foi divulgado comercialmente.

Cuba foi uma grande festa regada a mojitos de rum Havana Club. Estávamos todos fascinados com a chegada à ilha de Fidel Castro. Era a primeira vez que um grupo de artistas brasileiros ia a Cuba, e o clima era de excitação total. Pouco tempo antes, aquela viagem teria sido impossível por causa da ditadura no Brasil. Estávamos ali sendo recebidos como amigos de Chico Buarque, companheiros queridos de culturas irmãs. Cantei para um mar de gente no Festival de Varadero a "Cantilena" da *Bachiana nº 5*, de Villa-Lobos. Entrei no palco diáfana, vestida de tule e veludo, acompanhada só do violão de Ricardo Simões, logo depois do Jimmy Cliff. A sensação era de ter sido atirada às feras. Pedi silêncio para a turba agitada que vinha embalada pelo reggae. Funcionou, não sei como. Uma multidão quieta e respeitosa ouviu aquele acalanto do Villa-Lobos, e eu saí dali com um convite do ministro da Cultura para voltar e gravar um disco com Silvio Rodriguez, expoente máximo da música cubana, o que acabou acontecendo no ano seguinte. Em 1981, Cuba não tinha relações diplomáticas com o Brasil. Chico Buarque fazia o papel de embaixador das duas culturas. Até hoje me pergunto como consegui gravar esse disco em parceria com a Som Livre, lançado no Brasil em 1983 com o nome *Identidad*.

Essa viagem foi minha primeira saída de perto do João. Foram dias importantes para eu saber se ele ficaria bem sem mim e se minha cabeça poderia ser ocupada com novos projetos. Também era uma maneira de levar adiante o plano de ter uma vida normal e não me deixar paralisar pela preocupação e pela dedicação exclusiva a ele. João ficava bem sem mim. Tinha uma empregada de confiança e tinha minha mãe e a avó Gisah sempre por perto.

Em 1982 fui escolhida por Tom Jobim para cantar com ele na entrega do prêmio Shell na Sala Cecília Meireles. Minha relação musical com a família tinha começado com seu filho Paulinho Jobim. Fizemos um dueto com algumas apresentações pelo Rio. Paulinho foi para os Estados Unidos, e um dia recebi um telefonema de Aninha, mulher do Tom, que me perguntava se eu gostaria de fazer o show com o maestro. Não apenas com o próprio ao piano, mas com Radamés Gnatalli regendo uma pequena Orquestra de Câmara. Presentes que a vida me deu. Começamos uma convivência deliciosa, porque Tom gostava de ensaiar e de conversar. Volta e meia interrompíamos o ensaio para dar uma volta de carro. Uma vez fomos tomar água de coco no mirante do Leblon, de onde víamos o apartamento de Lucio Costa. Tom usava um espelhinho para mandar sinais luminosos para a Maria Elisa, filha de Lucio, que trabalhava no andar de baixo. Certo dia, cheguei para ensaiar e Tom estava tristonho, falando de Vinicius que tinha morrido dois anos antes. Vestia a camisa social herdada do poeta, com suas iniciais bordadas no peito. Nesse dia me contou que uma vez dividiram um quarto de hotel e passaram a noite brigando pelo termostato do ar-condicionado. Vinicius diminuía a temperatura ao mínimo porque ar-condicionado tinha que deixar a bunda geladinha. E as histórias de Vinicius traziam de volta a alegria. A casa da rua Peri era feliz, com o pequeno João Francisco brincando no jardim ao lado da sala do piano, Aninha alegre e vigorosa, as visitas constantes da irmã Helena e de seu marido Manoel. O ensaio acabava em sarau com a "Modinha", de Villa-Lobos, seguida da sua própria "Modinha" com o Vinicius. Tom adorava juntar as duas. Na passagem que Elis gravou ("Que chora dentro do meu coração"), ele pedia que eu fizesse a frase ascendente e sorria contente com os agudos. Radamés, ao contrário de Tom, não queria ensaiar nada e só pensava no chope que tomaríamos no Bar Lucas depois do ensaio. Ele dizia com seu sotaque gaúcho:

– Vamos acabar logo com essa merda pra irmos tomar uns chopes.

E íamos beber calderetas no bar alemão da avenida Atlântica, esquina com Djalma Ulrich. Essa apresentação foi a volta de Tom aos palcos brasileiros. Fazia tempo que ele não se apresentava por aqui e, depois disso, retomou o gosto e não parou mais de fazer shows.

A primeira festa que levei o João foi na casa do Tom, ainda na rua Peri, no Jardim Botânico. Era o aniversário de três anos de João Francisco, e o convite de Aninha foi um afago em nossos corações castigados pela rejeição geral. Os amigos tinham curiosidade de ver como João era, mas poucos tinham coragem de se aproximar. No entanto, ficavam aliviados quando constatavam que ele era como qualquer criança. Passados os primeiros momentos, ele já não chocava mais. Àquela altura, João ficava a maior parte do tempo no carrinho ou no colo. Mas gostava de passear e podia tranquilamente participar da minha vida social.

No projeto de levar uma vida normal, precisei arrumar ajuda prática para poder sair, trabalhar e viajar enquanto João ficava em casa. Não tinha ideia de que seria tão complicado achar alguém em quem confiar. Entrevistei um monte de candidatas, algumas passaram um dia e sumiram. Até que empreguei uma delas e, na primeira tentativa de deixar o João aos seus cuidados, voltei para casa e encontrei-o aos berros na cadeirinha de comer. A colher ia e vinha impositiva, e a moça, desajeitada e impaciente, tentava enfiar-lhe a sopa goela adentro. João era famoso pelo maravilhoso apetite, não havia o que ele não gostasse de comer. As cirurgias do estômago já eram coisa do passado e a gente nem lembrava mais os tempos da sonda. Mas naquele momento chorava e trancava a boca. Estranhei aquela cena e provei a sopa, que estava completamente azeda. Dei adeus imediatamente para a infeliz e me martirizei por ter deixado João com ela. Achei que jamais poderia confiar em alguém e chorei de culpa e raiva.

Foi então que Antonia surgiu como um anjo. Uma mineira determinada que me inspirou confiança de cara. Ela sabia lidar com ele como ninguém. Ela o chamava de Jacaré do Pantanal. Antonia não tinha nenhuma cerimônia com suas deficiências e me ajudou a fazê-lo sentar, a ensiná-lo a andar, a levar os primeiros tombos e, sobretudo, a não comparar o seu crescimento com o de outros meninos. Ela me dava segurança porque não tinha dúvidas de que ele ia fazer de tudo. Nenhum médico tinha tanta certeza. Com um ano, ela o cercava de almofadas e me falava: "Olha só, ele já senta!". E o João tombava para o lado feito um boneco se tirássemos os apoios. Mas perseverávamos e, pouco a pouco, ele ia vencendo as etapas. Enfrentamos tempos duros juntas, encarando os desafios do seu crescimento. A maneira enérgica de ela lidar com ele, seu sotaque forte do interior de Minas, a comida gostosa, a casa arrumada e o ombro. Nos anos que passou com a gente, viu o João vingar e virar um menino grande. Um dia, porém, ela voltou para Minas e eu a perdi de vista. Assim como perdi tantos médicos, terapeutas e enfermeiros que foram fundamentais para nós nessa trajetória. Agora, escrevendo este livro, me dou conta de quanta gente foi boa comigo e, num balanço, diria que os bons foram mais poderosos do que os que torceram contra ou me puseram para baixo. A metade cheia do copo vale mais, afinal.

Miguel e eu tomamos rumos diferentes depois da primeira fase de grandes cirurgias. João tinha pouco mais de um ano. Miguel estava filmando *Para viver um grande amor*, um musical baseado na peça de Vinicius de Moraes, *Pobre menina rica*. Ele comprou os direitos da peça e convidou Patrícia Pillar, que estreava como atriz na ocasião, para o papel principal. Emprestei minha voz ao personagem e quando Patrícia canta no filme, ao lado de Djavan, é a minha voz que se ouve.

Durante aquele período, o interesse de um pelo outro foi se desvanecendo, o casamento desandou, mas não por causa do João. Eu era jovem demais, meu mundo era aprender a ser mãe, organizar meu cotidiano complicado com meu bebê ímpar e tocar a carreira de cantora e as alegrias da vida. Para Miguel, João era um problema a ser resolvido em grande escala, com atitudes práticas, viagens e cirurgias. Eu cada vez mais tinha amigos ligados a mim, ao João e ao batente do cotidiano, que era longe do Miguel. Seus amigos eram amigos homens, que conversam entre homens conversas de homem, e as mulheres não eram bem-vindas. Provavelmente era das mulheres que eles falavam a maior parte do tempo, mas o Clube do Bolinha é coisa de uma geração e esse em particular é tão fiel que permanece reunido até hoje.

No final de 1982, meu parceiro se tornou Sergio Canetti, padrinho do João, meu grande amigo até hoje e colega de grupo de análise. Sergio dava aulas de desenho industrial na PUC, tocava piano, era cheio de talentos e me descortinava uma penca de opções de programas. Íamos ao cinema, ao teatro, jantávamos fora, comíamos no exótico Miako, um dos raros restaurantes japoneses no centro do Rio no início dos anos 80. Quando não era isso, estávamos juntos saboreando a simplicidade de um pão fresquinho com manteiga comprado à tarde na padaria Eldorado, em Ipanema, e nossas conversas sempre rendiam. Éramos como um casal, mas sem namorar.

Miguel e eu, que quase não nos encontrávamos mais, discutíamos por qualquer besteira, até que ele saiu de casa. Não voltou para o Hotel Carlton, mas para o Hotel Marina, em frente à praia do Leblon, o novo refúgio dos desquitados. A separação foi rápida e definitiva. Eu fiquei no apartamento do Leblon, vizinha de Manoel Carlos e Julio Bressane, com a tarefa de reorganizar a vida sozinha aos 24 anos, com o sonho de família já desfeito. Nos separamos antes de brigarmos de verdade e entre nós restou uma boa amizade, e João, que já não é pouca coisa. Miguel não deixou de estar presente nos tratamentos, nas contas, nas discussões dos problemas. Para mim sempre foi mais fácil conviver e amar João. Para ele essa convivência nunca foi tranquila e, na maior parte do tempo, era incrementada pela sua mãe, Gisah. Ela nunca deixou de acolhê-lo nas férias em Petrópolis, na casa onde vivia rodeada de amigos verdadeiros. Naquele gramado imenso e ensolarado entre as montanhas, João passou parte da sua infância, querido por todos, brincando com os filhos dos caseiros, protegido do mundo. Além dos amigos da vida inteira, a casa reunia seus primos e tios. O avô Miguel levava-o para passear pela cidade e reservava os seus raros momentos de bom humor para o neto. No final, eu subia a serra para buscá-lo e encontrava João saudável, feliz e amado. Seu espaço era sagrado e a cada ano tudo se repetia, para minha grande felicidade. Essa convivência com a família do Miguel terminou com a morte do avô e a doença da avó. Eram eles os verdadeiramente apaixonados pelo João.

# Cadê o seu carro?

Separada aos 24 anos, com João pequeno, caí no rock'n'roll e seus complementos. Foi uma pausa para viver uma juventude que tinha ficado guardada na gaveta. Tempos hard-core com Cazuza, Julinho Barroso e Monica Figueiredo até de madrugada, andando em garupa de moto, dançando no Rose Bombom em São Paulo e namorando quem passasse pela frente. Eu fazia sucesso dentro dos meus minitubinhos da Fiorucci e repiquei os cabelos para compor o personagem. As noites eram animadas a David Bowie, Jack Daniel's e uma sensação deliciosa de liberdade. Gravei o LP *Música*, pela Elenco, meu trabalho mais roqueiro, com duas músicas de Cazuza, bateria eletrônica, sintetizadores e solos de guitarra de André Geraissati. Simultaneamente fazia o meu trabalho mais erudito, que eram shows com Turíbio Santos, Clara Sverner e Paulo Moura, que resultaram no LP *Encontro*, lançado pela Kuarup. Dois caminhos opostos: os meus dois lados — erudito e popular — tentando conviver.

Sosseguei por uns meses com Zé Renato, cantor de voz aguda como a minha que naquele tempo fazia parte do grupo Boca Livre. Me mudei do apartamento do Leblon para uma casa geminada de janelas azuis numa rua sem saída em Laranjeiras. Zé veio morar comigo. Era um doce de pessoa e se dava bem com o João, que tinha quase três anos. Passamos um réveillon juntos, só os três. Festejamos a passagem do ano ouvindo música, dançando, e nos distraímos com João brincando em volta. Foi quando ele pegou um copo que estava cheio de vodca e tomou um gole pensando ser água. Passou a noite com soluço, mas alegre e engraçado, rindo de tudo. O namoro não durou um ano. Eu estava inquieta, João começava a precisar de novas cirurgias. Meu filho e eu permanecemos na rua Rumânia, 13.

Um novo médico nos foi indicado, o dr. Jorge Psilakis. Seu consultório ficava em São Paulo e era lá que fazia as cirurgias. Depois de consultas e exames, decidimos por operá-lo no Beneficência Portuguesa. Foram dez dias de internação no hospital imenso que ficava junto à avenida 23 de Maio. Miguel foi para um hotel próximo e eu fiquei com João. A cirurgia era o primeiro passo para a liberação da face. O pós-operatório — com um dreno deixado no turbante do curativo — era bem suscetível a complicações e eu pressentia que a estadia em São Paulo seria longa. Apesar de tudo, tenho uma lembrança boa dessa fase, cercada de amigos e parentes que me apoiaram firmemente. Às vezes isso basta para tornar mais leve o que parece tão penoso. Um copo de vinho no fim do dia, uma pausa com um pouco de alegria são o consolo para renovar as forças para mais uma jornada no hospital. Numa tarde, Juca Kfouri chegou à Beneficência com um ursinho de pelúcia com a camisa do Corinthians. O ursinho passou muitos anos no quarto do João e, apesar de nunca ter seduzido o coração do tricolor carioca, nos trazia a lembrança da delicadeza do gesto de Juca.

Tivemos que permanecer por mais de dois meses em São Paulo por conta dos curativos, levando João ao consultório do cirurgião. Ficamos hospedados na casa de minha tia Lila, que nos cobria de mimos. Jardim com cachorros, primos lanchando de tarde na cozinha, conversas à noite com a lareira acesa. Essa doce irmã do meu pai nos adotou na sua residência do Morumbi e, além de me presentear com talão de cheques e uma conta no banco, nos reservou uma ala inteira da sua casa onde fiquei instalada com João e uma enfermeira. A conta no banco era para eu ficar despreocupada com os gastos com a enfermagem e tudo mais. Aquele lar com o carinho dos meus tios foi um colo generoso e inesquecível para mim e para o João. Meu tio Paulo Egydio tinha um carro tipo utilitário vermelho, grande o suficiente para o João achar que era um caminhão. Foi ali, sentado segurando o volante do caminhão vermelho, que ele passou os dias se recuperando enquanto não era hora de voltar para o Rio de Janeiro.

Ficamos satisfeitos com o resultado da cirurgia. A partir daí era preciso retomar as terapias para trabalhar a fala, a respiração e a deglutição. Desde bebê as terapias fizeram parte da luta para melhorar a vida do João. Dentre as três modalidades, a fisioterapia era a de que ele menos gostava. Às vezes chorava para entrar na sala. Era duro, eu sabia. Mas valia a pena. Rolar nos colchões, fazer força com os braços, coisas simples que a gente não precisa ensinar aos bebês eram praticadas ali. À força. Depois vinham as outras duas. A fonoaudiologia, que trabalhava a função da fala, o posicionamento da língua, a respiração, a mastigação, a deglutição e a comunicação, que é a função neurológica mais complexa do sistema nervoso. Ele comia gelatina, sugava com um canudinho, aprendia a soprar e a exercitar a língua. Tudo para desenvolver a linguagem e se fazer entender. A gente não imagina a importância disso até precisar entrar nessa roda-viva. João não tem a fenda palatina que geralmente acompanha o lábio leporino, mas tinha o céu da boca bem alto, o que causava um som fanhoso e dificultava a compreensão do que ele dizia. E, por último, a terapia ocupacional, para trabalhar percepção e coordenação motora de um modo geral. Três vezes por semana se repetiam os jogos, as brincadeiras de quebra-cabeça, os encaixes, a massinha, o lápis e papel. Essa parte era a mais divertida, mas mesmo assim ele detestava. Preferia voltar pra casa e reencontrar sua frota.

João brincava sozinho. Se divertia no seu quarto com carrinhos e caminhões de bombeiro. Cantarolava e imitava o ronco dos motores, falava com os motoristas imaginários das viaturas, reproduzia o som das buzinas e dos freios.

Quando bebê, a primeira palavra dita por ele foi:

— Carro.

Como sempre, diferente de todas as outras crianças, nada de mamãe, papai, mas sim:

— Carro.

Em tom claro e bem articulado ao ouvir qualquer ruído semelhante ao longe:

— Carro.

Em seguida, passou para as marcas: chevette, fusca, monza. Nas revistas reconhecia o logotipo de cada uma e era divertido ver como ele tinha cada vez mais conhecimento das variedades de automóveis do mercado. Qualquer pessoa que se aproximasse, ele puxava o assunto:

— Cadê o seu carro?

Reconhecia facilmente os chaveiros com os símbolos e sabia com exatidão o carro que correspondia à marca. Essa facilidade com os logotipos nos dava esperança de que seu aprendizado poderia se desenvolver bem.

Depois veio a paixão pelos caminhões, carros de bombeiro, ônibus e tudo o que se movia sobre rodas. Um dia soubemos que ele jamais iria dirigir por um problema de convergência nos olhos. Uma limitação intransponível para um motorista. E o sonho de ver João dirigindo foi por água abaixo. Até hoje ele é fixado nessa habilidade que não possui, a direção. Quando se senta no banco do carona, puxa todo o assento pra frente e quase encosta os olhos no vidro. Dali, ele reclama dos motoristas que andam devagar, dos que não ligam a seta, dos pedestres que atravessam a rua descuidados, dos ônibus e das vans que não obedecem às faixas no caos do trânsito. É a sua maneira de organizar o mundo.

Para diverti-lo e fazê-lo morrer de rir, basta que eu crie um personagem que dirige reclamando de todos os carros que cruzam com o nosso.

— Ô, maluco! Vai tirar o pai da forca?

— Comprou a carteira?

— Buzina nova?

Coleciono essas máximas do trânsito para dizer quando estou com ele.

Sua maior alegria quando pequeno era andar de carro para lá e para cá, fingir que dirigia um caminhão ou levava passageiros num ônibus. Sua frota ficava estacionada num pedaço do quarto da nossa casinha em Laranjeiras. Era um puxadinho mais alto do que o resto do quarto com estantes baixinhas de madeira. Ali era seu mundo motorizado, em que ele passava horas absorto. O maior sucesso foi no dia em que o marido da Antonia, que era motorista profissional, levou-o para dar uma volta na caçamba de um poderoso caminhão betoneira. Isso sim foi um programão.

Pedalar, para o João, resolve em parte seu fascínio por veículos. A bicicleta foi na sua infância a única possibilidade de ele ser um piloto autônomo e rodar por aí. Como as mãos dele têm dificuldade de agarrar o freio, adaptamos uma bicicleta com freio no contrapedal. O movimento inverso da pedalada resolveu a falta da pressão necessária com as mãos. Porém, as bicicletas de contrapedal raramente têm marcha. A conjugação das duas coisas, marcha e contrapedal, pede uma engenhoca complicada que conseguimos depois de pesquisar bastante, num subúrbio de Roma, cidade onde vivia minha irmã Elisa. Saímos em campo com contatos descobertos pelas listas amarelas, quando ainda era assim que se procuravam as coisas. Foram diversas saídas até acharmos uma pequena oficina onde um italiano dominava esse mecanismo. Hoje parece tão mais simples, mas naquele ano de 1999 não foi fácil encontrar a peça. Comemoramos nossa vitória, e eu cheguei ao Brasil com a novidade.

Uma vez adaptada a bicicleta numa outra pequena oficina em Petrópolis, João, aos dezoito anos, passou a rodar leve e solto pelo Rio de Janeiro inteiro. Talvez não tenhamos conhecimento da metade de suas aventuras sobre duas rodas. Mas ele saía pela orla com a recomendação de seguir sempre as ciclovias.

Certa vez, me ligou de um orelhão dizendo:

— Estou aqui em São Conrado.

— Como você foi parar aí, João?

— Eu vim de bicicleta.

— Como assim? De bicicleta? Mas por onde você foi?

— Ué. Pela ciclovia, ora!

Acontece que os caminhos para São Conrado, vindo da Zona Sul, são dois. Um pelo túnel Zuzu Angel, esse impossível, pois nele é proibido o acesso de bicicletas. O outro pela avenida Niemeyer, que se assemelha às pistas da Riviera italiana de *Il Sorpasso* (*Aquele que sabe viver*) com duas vias estreitas de mão dupla e nenhum acostamento. Mas o fato é que ele estava em São Conrado, são e salvo, sem ciclovia.

Acredito que naquele dia seus anjos da guarda tenham trabalhado feito doidos enquanto João pedalava. Seu aspecto frágil em cima da bicicleta perdia para a sua vontade de ser autônomo, de se sentir capaz de atravessar o Rio por si só.

Proibimos aquelas aventuras, mas na verdade ele fugia ao nosso controle e, como ainda estávamos no tempo do bipe, ficávamos sem saber exatamente para onde ele ia. Ele carregava o aparelhinho que recebia mensagens e ligava dos orelhões para dar satisfações a minha mãe de onde estivesse. João foi monitorado assim durante anos, mas nunca deixou de ter a liberdade de ir e vir, com alguns limites, mas para onde quisesse.

Tempos depois, num show ao ar livre de Zeca Pagodinho, um megaevento no aterro do Flamengo para milhares de pessoas, a preciosa bicicleta do João foi roubada. Com a peça italiana e tudo, com o mecanismo indispensável que para o bandido nada significava mas para o João era valioso. Não sei dizer ao certo se o incidente foi uma cochilada ou uma armação dos anjos da guarda que andavam exaustos com o trabalho de protegê-lo.

Ouço as pessoas reclamando da falta de tempo para fazer esportes, crianças não fazendo atividades físicas pela mesma desculpa... Fui criada por uma mãe tenaz que botava minhas irmãs e eu pra fora da cama às cinco da manhã para a natação no Fluminense antes da entrada no colégio. Atravessávamos piscinas nas Laranjeiras junto a outros filhos de mães que também levavam a ferro e fogo a sua tarefa. Uma propaganda na TV durante as Olimpíadas mostrava mães acordando de madrugada, com o dia ainda escuro, para levar seus filhos ao treino. Ao final, mostrava os atletas no pódio. Eu não cheguei ao pódio, mas devo muito ao empenho da minha mãe. Elisa chegou a competir e ganhar medalhas nadando peito. Rita e eu desenvolvemos uma paixão pela endorfina que nunca mais nos deixou paradas.

João nasceu condenado a não praticar esportes. Na sua primeira infância tínhamos uma única preocupação: sua sobrevivência. A hipotonia muscular diagnosticada desde cedo nos dava poucas chances de imaginar se ele andaria e se viria a ter uma vida normal.

Aos dezesseis anos, com todas essas limitações, ele nadava bem, corria e fazia travessuras de bicicleta. Depois de mais de vinte cirurgias, entre próteses cranianas, válvulas e tentativas de reconstrução das mãos, João começou a praticar remo na baía de Guanabara. Suas mãos agarravam firme a pá de madeira, e sua coragem dava conta de fazê-lo remar sozinho no pequeno barco do Clube Guanabara.

Remar foi fundamental para o desenvolvimento da pouca musculatura de seus braços e do peitoral. Longe de ter um corpo atlético, mas garantindo a parte funcional, João hoje pode até exibir um minimuque que, pra mim, tem a força e a dimensão do bíceps de um Anderson Silva. Apoiado pela minha mãe, lá ia ele bem cedinho, duas vezes por semana, remar no cartão-postal do Rio de Janeiro. Aos dezoito anos, João já tinha obtido grande independência no remo. Deslizava sozinho pelo mar por uma hora seguida, fortalecendo o peitoral e os braços, trabalhando força e equilíbrio.

Um dia, seu barquinho chocou-se contra uma boia e virou. Ele vinha remando de costas e estava longe do clube. Ninguém viu o acidente, e o barco naufragou. Nadando pelo mar da baía de Guanabara até a margem e depois subindo pelas pedras cheias de craca, João conseguiu chegar todo esfolado.

Nas mãos empunhava bravamente o remo.

# Da janela

Foi através da minha janela de venezianas de madeira azul que eu conheci Edgar. João tinha três anos. Eu fazia minhas vocalizes no andar de cima da casa de Laranjeiras, ao lado do meu piano, com ele pequenino brincando em volta, distraído. Passei a ouvir um som de saxofone que vinha da casa da frente e a prestar atenção nas melodias jazzísticas e escalas com milhares de notas que atravessavam a rua: aquilo só poderia vir de um músico profissional. A sonoridade e a agilidade me encantavam, porém, do lado de cá, eu só conseguia avistar uma fotografia antiga em preto e branco com o perfil de uma mulher, pendurado na parede de um dos quartos daquele sobrado vizinho. Uma senhora de cabelos vermelhos cuidava de um dobermann que latia sem parar e, no meio disso, vocalizes e escalas de saxofone dialogavam. Eu estava cada vez mais curiosa para saber quem era o dono daquele som. Espiando pela janela certo dia vi chegar de moto um rapaz jovem carregando um sax tenor nas costas. Ouvi dizer que meu vizinho tinha acabado de regressar de Berklee, em Boston, e era formado em música e composição. Filho de escultores, quem morava naquela casa era sua mãe, Ivna. Continuei meus estudos de olho no movimento da casa da frente.

Num dia em que chegava com o João em casa, encontrei no vidro do meu fusca, bem à vista, a filipeta do anúncio de um show do grupo WOW, do qual fazia parte o saxofonista Edgar Duvivier. Foi a senha para trocarmos algumas palavras ali na rua mesmo. Alguns dias depois, fui vê-lo tocar no espaço de música de um shopping center. Depois da apresentação, nos sentamos para tomar um copo de vinho. Tínhamos assunto de sobra, amigos em comum, um senso de humor semelhante e, para completar, como era belo o meu vizinho. Edgar tinha um olhar que me emocionava, era uma mistura da virilidade do Clark Kent com a pureza do James Dean. Saímos de novo no dia seguinte para assistir *Ensaio de orquestra*, de Fellini, no pequeno Cine Joia de Copacabana e, a partir daquela noite, dormimos juntos pelos catorze anos que se seguiram.

Meu vizinho tinha nascido e crescido com os avós e os pais na rua Rumânia. Naquela mesma pequena rua sem saída a gente começou a viver como se não tivesse havido nada antes, como se fôssemos Adão e Eva no paraíso. Nadávamos, desenhávamos, pintávamos gnomos pelas paredes da casa e fazíamos música. Edgar morava em Santa Teresa e visitava a mãe, Ivna, diariamente. Nunca nos casamos. Mas foi com ele que eu me reencontrei com a minha idade e com as minhas brincadeiras de Barbie e Ken. Edgar aceitou o João com total naturalidade, e os dois ficaram logo bem amigos. Se relacionavam como pai e filho camaradas. Saíam no fusca verde-musgo, e João sentado no colo do Edgar agarrava com as mãozinhas o que ele chamava de "rolante". É dele o inusitado apelido — Cafuso — pelo qual João é conhecido até hoje na família. A alcunha não tem nada a ver com mestiço ou qualquer significado nesse sentido. Foi apenas uma invenção carinhosa do Edgar que pegou sabe-se lá por quê.

Juntos, começamos a fazer música e montamos um show explorando as possibilidades de uma recém-adquirida novidade. Um computador Macintosh Classic. Daqueles que a gente enfiava um disquete numa abertura na frente e carregava o sistema toda vez que usava. Um novo universo musical se abriu para Edgar, que começou a escrever, a compor e a usar teclados comandados pelo Mac. Nele Edgar realizou seu primeiro trabalho autoral, o LP *Música-Imagem*. Cada música vinha acompanhada de um texto, ou cada texto vinha acompanhado de uma música, e uma delas era dedicada ao João. Chamava-se "O Pequeno Príncipe".

Ainda me lembro das vezes em que minha mãe ou minha irmã liam para mim O *pequeno príncipe* e sempre acabavam com lágrimas nos olhos. De minha parte, gostava da história, mas não encontrava motivo para tanto sucesso. Ainda não via os adultos com o desprezo que eles se veem e, por isso mesmo, não dava às crianças a importância que o livro sugere. E toda aquela história de pane no deserto do Saara, de andar procurando um poço, de que só se vê bem com o coração? Se o que é importante é invisível para os olhos, então o que faz a beleza de uma estrela ou do deserto, é invisível? As estrelas são bonitas por causa de uma flor que não se vê, o deserto é belo porque esconde um poço em algum lugar. Guardei tudo isso em algum lugar, sobretudo o final em que ele pede para, se a gente encontrar o Pequeno Príncipe, escrever para ele, que está tão triste.

Eu já tinha esquecido tudo isso quando veio o João. Quando João apareceu na minha rua foi como se aparecesse no deserto do Saara. Levei o maior susto. Ele tem cabelos de ouro e nunca responde as nossas perguntas. Ele nunca faz nada do jeito que a gente espera. Ficamos com raiva quando ele não responde, mas aí

me lembro do Pequeno Príncipe. Lembro que só se vê bem com o coração e que o essencial é invisível para os olhos. E só então entendo que o mundo está cheio de Pequenos Príncipes e que posso escrever que ele voltou.

Não demorou para a felicidade desse encontro com Edgar me dar a certeza de que estava ali alguém com quem eu teria outros filhos. Fizemos uma viagem a Salvador num veleiro com um grupo de amigos. João passava as férias de verão em Petrópolis na casa da avó Gisah, como era costume. Durante a viagem, dormíamos juntos numa caminha tão estreita que mal cabia uma pessoa. Mesmo assim não cogitávamos que um de nós dormisse em outra cama. Acordávamos tortos, mas felizes, achando graça em tudo. Certa manhã, na Praia do Forte, fazíamos um elaborado castelo de areia quando percebi que não encontraria no mundo ninguém mais parecido com o que eu sonhava para dividir a minha vida. Edgar herdou o talento dos pais para a escultura e criava escadarias, torres e pontes levadiças com a areia, até que o nosso castelo virou ponto turístico na praia, com jardins ricamente decorados com algas marinhas.

Logo fiquei grávida do meu segundo filho, Gregorio. Nossa felicidade com a notícia foi total. Apesar de ainda não termos tantas informações sobre a síndrome de João como temos hoje, já tínhamos certeza de que ela não era recorrente, e por ser uma mutação genética a probabilidade de se repetir era quase zero. Isso não me tranquilizava absolutamente, mas me fazia vigilante e apelávamos para o ultrassom quando o medo implacável vinha acordar os fantasmas adormecidos. O dr. Nadir Farah, meu médico, disponibilizou o exame para que eu pudesse dar uma espiada no bebê de vez em quando. Foi na telinha em preto e branco do aparelho que um dia ele espalmou as mãozinhas mostrando os dez dedinhos. O bom anjo da tecnologia me restaurava a tranquilidade e a imagem tão simples era um bálsamo para o meu coração. Essa foi a minha primeira comunicação com esse novo filho que estava sendo esperado com tanto amor.

Tínhamos cautela para que João não se sentisse excluído da nossa nova família. Ele participava de tudo o que a gente fazia. Era um menino alegre e franzino de cinco anos com uma voz aguda e afinada que adorava cantar e brincar de caminhão. Seguia passando longas horas no quarto enfileirando carrinhos e simulando um trânsito divertido. Uma criança brincando constrói um mundo impenetrável, e o que ele pensava e vivia ali imobilizava o tempo e a ordem das coisas ao seu redor. Ali ele era uma criança como todas as outras imitando o som dos carros, entretido com sua criação. Bi-bi, fon-fon. A luz que entrava pela janela de pequenos vidros retangulares ia mudando de cor até que chegava a noite e a hora de jantar e de ouvir histórias para dormir.

O bebê que eu esperava estava bem e eu me sentia radiante com a nova experiência. O final da gravidez e a demora da chegada da hora do parto começaram a incrementar a ansiedade não só em nós dois, mas na família inteira. Eu caminhava na Estrada das Paineiras com Edgar, andávamos pelo meio do verde da floresta da Tijuca e tomávamos banho na cachoeira de água gelada junto à pedra. Ia me despedindo da barriga redonda e bronzeada andando pela praia de Ipanema nos primeiros dias de abril de ar leve e céu azul. Nenhum sinal da chegada do bebê, que estava marcada para fins de março.

Numa madrugada, as contrações começaram fortes e ritmadas. Finalmente chegara o tão esperado início do trabalho de parto. Seguimos para a Clínica São Vicente, no alto da Gávea. A mesma clínica de tantas vivências dramáticas agora me recebia na internação com a minha malinha, pronta há dias. Tudo arrumado: um macacão de letrinhas e o sapatinho vermelho feito pela avó Vera para trazer sorte. Sabíamos que eu estava revivendo o nascimento do João no plano emocional, e foi essa expectativa que paralisou o processo de contrações. Estava aterrorizada e não me dava conta, mas meu corpo se negava a seguir adiante. As contrações simplesmente pararam. O médico não poderia ajudar com a indução por eu ter feito uma cesariana e ter o útero suturado, seria perigoso. A decisão certa era outra cesariana, o parto em que a gente não pode ajudar em nada, só torcer para tudo dar certo.

E dessa vez deu.

Gregorio nasceu no dia 11 de abril de 1986, dia marcado para a aparição do cometa Halley no céu. O cometa não brilhou tanto quanto Gregorio, que chegou como um sol nas nossas vidas. Foram todos nos visitar, inclusive João, que levou flores e quis ver o irmão. Ao entrar no quarto, tirou os sapatos, subiu na cama e se deitou ao meu lado. Fiquei ali acariciando sua cabecinha até que ele cansou e foi brincar no chão com seu carrinho.

Passei aqueles primeiros dias com meu novo bebê no colo, em êxtase, realizando um sonho, amamentando e admirando sua perfeição.

Voltamos para a casa em Laranjeiras onde nosso cotidiano mudou bastante. Eu passava a maior parte do tempo na cadeira de balanço e João ficava ao lado, brincando e cantando suas músicas preferidas de festa junina:

*O balão vai subindo, vai caindo a garoa*
*O céu é tão lindo e a noite é tão boa*
*São João, São João*
*Acende a fogueira do meu coração.*

Numa dessas, apontando para o meu seio, ele me perguntou:

— O que tem aí dentro?

— Leite — eu disse.

— E do outro lado, café?

Uma noite ouvimos João chorar. Ele não conseguia dormir, e eu comecei a suspeitar do porquê. Fui até a beirada da sua cama e devagar puxei conversa. O que será que ele estava sentindo?

Chorando, ele me perguntou:

— Por que ele não é igual a mim?

E eu não tive como responder a essa pergunta. Foi a única vez na vida que ele mostrou uma consciência tão forte da sua condição. E choramos juntos, baixinho, de mãos dadas.

Edgar então começou a tirar João de perto estrategicamente. Os dois saíam e não voltavam mais. Passeavam de carro, iam ao mercado e subiam a ladeira de Santa Teresa, onde Edgar mantinha o estúdio. Ele estudava saxofone enquanto João brincava em volta. Durante esse tempo, eu me dedicava ao Gregorio, sozinha, e quando os dois voltavam já era quase hora de o bebê dormir. Assim João foi se acostumando a dividir a mãe e o Edgar, seu grande camarada, com esse irmão tão diferente dele.

Minha mãe nessa época morava numa casa na Urca com seu marido, Paulinho. Ele era arquiteto e professor numa universidade do Rio. Paulinho era fechado e mal-humorado, pouco se relacionava conosco. No entanto, ele adorava João, e os dois mantinham uma grande amizade. Tínhamos o hábito de visitá-los com as crianças e passear pelo bairro nos fins de semana. Miguel e Joaquim, filhos das minhas irmãs Rita e Elisa, tinham a mesma idade do João e brincavam sempre com ele. Apesar de serem bem mais adiantados, sempre foram amigos e carinhosos com o primo. Era nesses momentos que eu via o quanto o desenvolvimento intelectual de João estava abaixo do considerado normal para a idade. Sempre tínhamos a desculpa de o João ter sido excessivamente operado e de ter perdido meses imobilizado em internações. Sabíamos que o excesso de internações nos tinha roubado tempo para esse desenvolvimento. Não queríamos acreditar que essa defasagem nunca seria compensada e que João teria para sempre uma diferença intelectual com o resto da turma. As terapias continuavam e iam dando resultado. A parte da coordenação motora estava cada vez melhor e Edgar e minha mãe ajudavam extremamente nisso. Não fazíamos ideia de até onde João conseguiria chegar, mas investíamos ativamente no seu desenvolvimento.

Gregorio tinha um ano e ainda mamava no peito. Eu tirava a forra do tempo em que fui impedida de amamentar João. Tinha me preparado para isso na primeira gestação, mas não houve chance por conta das internações e do trauma. Eu não tinha condições de me dedicar a tirar o leite para não secar enquanto ele não podia sugar. Nem teria tido tranquilidade emocional para estimular a produção. Com Gregorio, eu podia realizar essa façanha a ponto de começar a sofrer críticas dos familiares, que achavam um exagero uma criança de um ano mamar no peito. Foi então que fui deixando de aleitar meu segundo filho e engravidei de novo. Havia esse plano audacioso de ter mais filhos e construir uma família grande. Eu já não sentia o desassossego daquela primeira gestação após o nascimento do João. O trauma da primeira gravidez tinha ficado longe e diluído pelo acerto da segunda. Passados poucos meses do resultado positivo do laboratório, nos maravilhamos ao ver na tela do ultrassom que a primeira menina da família estava a caminho.

Passei muito bem os nove meses de espera. Nos meus cadernos escrevia sobre como me sentia realizada em estar esperando um bebê do mesmo sexo que eu, enquanto ia enchendo a casa de laçarotes e bordados cor-de-rosa. Estava segura, já não existiam tantos fantasmas na minha cabeça. Mas no dia do parto perdi essa segurança e explodi num acesso de tremedeira e choro que só passou quando segurei firme a minha Barbara no colo. Era um belo dia de outro mês de abril, com céu azul e temperatura fresca. A felicidade acontece assim para mim, nesses momentos de grande alívio e gratidão.

Com a família crescida, não fazíamos nenhuma diferença entre os três, que cabiam na nossa Chevrolet Caravan, que nos levava para todos os lados. Praia, Iate Clube, casa de amigos fora do Rio, lá ia a nossa turma. João sempre agradável, adequado e bem-educado. No meio dos irmãos e dos amigos não fazia feio e, quando não tinha assunto, perguntava:

— Cadê o seu carro?

Foi Edgar quem ensinou João a nadar. A duras penas. Ele tinha pavor de água, e junte-se a isso a sensibilidade à luz e a hipotonia muscular. Tudo seria motivo mais do que suficiente para não insistirmos. Mas Edgar não tinha dó. Frequentávamos a piscina do prédio de Santa Teresa que funcionava como uma extensão da nossa casa em Laranjeiras. Mantínhamos ali o estúdio e nadávamos diariamente naquela piscina olímpica projetada no ar, construída em balanço, como uma bandeja cheia de água na paisagem. Nos fins de semana levávamos as crianças, e Edgar mergulhava João na água gelada de óculos escuros e tudo. João berrava desesperado, mas foi essa terapia ultracarinhosa que fez com que ele perdesse o medo de água e fosse dando suas primeiras braçadas. Íamos também à praia, onde construíamos nossos castelos de areia monumentais, mas no Raposão, como era conhecido o prédio, os vizinhos já conheciam o João e era sempre mais fácil.

Numa viagem de férias a Ilha Grande juntamos a turma e fomos de carro até Mangaratiba para depois fazer a travessia de barco. As crianças se divertiam, João socializava, a gente tomava caipirinha na Vila do Abraão e encontrava os amigos. A ilha sem carros e com pouca gente era o cenário ideal para aqueles dias de verão tórrido. Um dia entramos num daqueles saveiros cheios de turistas para um passeio com as crianças. Como sempre, todos os olhares iam para João. O magricela de sunga e boné exibia suas cicatrizes de todos os tamanhos e feitios. Parecia um boneco de pano. O barco deu a volta rumo às praias do outro lado da ilha e, a certa altura, o marinheiro jogou a âncora para o pessoal nadar e se refrescar. A água azul em volta do barco era convidativa, mas ninguém do saveiro tinha se aventurado a mergulhar. Foi então que João resolveu saltar da proa, fazendo grande farol, mostrando seus dotes de nadador e mergulhador, dando um show, se exibindo. Todos no barco ficaram olhando, admirados. Aquilo era o João. Sem complexos, seguro de si aos nove anos de idade. Se achando.

Foi nessa temporada que o boné se incorporou à sua figura. Seus olhos claros eram atacados pela luz por causa do mau fechamento da pálpebra, e o boné e os óculos escuros eram proteções importantes. Era quase impossível encontrar modelos de óculos que se encaixassem no seu rosto devido ao desnível dos olhos, mas qualquer coisa ajudava a protegê-los do sol em passeios ao ar livre. Diferente de outras crianças, João não gostava de se sujar e, quando íamos a festas, ele voltava impecável, mesmo tendo brincado e se esbaldado. No dia a dia se vestia como qualquer menino e nunca teve complexos, jamais tentou esconder as mãos e os pés. Ao contrário, suas mãos sempre falaram e gesticularam à italiana. No verão usava sandálias, e no inverno, tênis e *topsiders* para fugir dos cadarços. Regularmente ia para a casa da avó Vera, minha mãe, e passeava com ela pelo bairro e pelo Iate Clube, onde andava de barco com os funcionários do clube. Os barcos, chamados de Camarão, faziam o transporte dos sócios para seus veleiros ancorados pela baía de Guanabara, e João ia de carona participando das manobras, encantado com o ir e vir das embarcações a motor. Passear no Camarão era um programa forte.

Para sair com a avó Gisah, a indumentária era outra. Ela o levava ao Country Club ou ao Gávea Golf, onde ia almoçar com as amigas. Era hora de usar as famigeradas camisas de botão para dentro da calça com cinto, sapatos e meias. O boné ficava em casa. A partir de certa idade, usar camisas azuis de botão para dentro da calça já não era tão ruim assim. Virou um modo de imitar o uniforme do motorista Zé Luis, seu grande ídolo. João cresceu com admiração por ele e por todos os motoristas que passaram pela família. Quantas vezes preferiu ficar dentro do carro conversando e ouvindo rádio a brincar nos clubes. Para ele, passar a vida dirigindo um carro seria o suprassumo da felicidade.

Gisah sempre foi doce e delicada no trato com João e nunca deixou de estar por perto. Ela via através da sua aparência, via o que João era de verdade e se orgulhava dele. Com ela, João fazia esses passeios pelos requintados clubes cariocas. Seus telefonemas eram quase diários, e suas preocupações com o neto eram permanentes. Ela o chamava de "meu bichano" e ficava contente em ouvir a sua voz. Um minuto de conversa bastava para ela saber que ele estava bem. Dele, ela dizia:

— É igual ao pai! Não quer me contar nada!

João não tinha paciência de ficar no telefone com a avó.

Quando ele nasceu, eu pouco conhecia Gisah. Até então tinha sido apresentada ao seu lado mais formal, sua persona na alta sociedade. Dona da loja de bordados e enxovais mais refinada do Rio de Janeiro, seu universo era de rendas e laços de fita, e foi com sua ajuda e de sua filha, Isabel, tia de João, que meu filho teve um enxoval caprichado preparado com esmero durante a gravidez.

Para Gisah nada mudou depois do parto. Ela enfrentou brava e altivamente a notícia de que o neto não era o príncipe esperado, mas pertencia à outra realeza. Foi uma surpresa e um presente para mim aquela atitude amorosa diante do menino misterioso que tinha chegado. Ela achava a maior graça no neto caçula e nunca fez diferença entre ele e os netos mais velhos.

Ela era uma rainha. Nunca entendi como seus 1,64 m pareciam 1,80 m. Tinha olhos claros, um humor particular e, apesar de sempre estar impecavelmente vestida e penteada, não era fútil, não dava bola para superficialidades. Olhava a vida com leveza e achava graça em tudo. Aquela altivez ampliava sua silhueta. Ela era a prova de que elegância não se compra nem se aprende, não se copia nem se imita. Elegância de verdade é a soma de atitudes, gestos e comportamentos aliados ao refinamento do caráter profundo, da verdadeira alma da pessoa.

João perdeu pessoas queridas bem próximas a ele. Bem mais do que eu, que já vivi duas décadas a mais. Passou por esses momentos com sua fleuma natural, sem derramar lágrimas ou se desesperar. Ficava tristonho, casmurro. Eu tentava tirar dele palavras sobre essa consternação, mas nunca consegui saber exatamente o que se passa dentro do seu coração. Nem quando ele perdeu sua querida Rosalina, empregada de minha mãe que ele viu sofrer um infarto fulminante, nem quando soube das mortes do avô Miguel, da avó Gisah, do tio Claudio ou do seu querido motorista, Zé Luis. João sofre em silêncio, mas sinto a profundidade dos seus sentimentos. Ele é capaz de empatizar com o que você está sentindo sem precisar falar. Ficar ao seu lado em silêncio às vezes me conforta. Sinto que ele tem dentro de si um monge sábio que está além de mim, olhando a humanidade com certa nobreza de sentimentos. Ele tem impaciência, mas não tem raiva. Tem tristeza, mas não tem depressão. Pode ter sido humilhado e rejeitado, mas nunca pensou em vingança. Se alguém reclama de algum problema perto dele, João não esquece e procura sempre saber se houve uma solução ou como ele pode ajudar. Está sempre em sintonia com os outros, pronto a cooperar. Se um dia eu me queixo de alguma dor muscular, por exemplo, no dia seguinte ele com certeza vai me perguntar assim que me vir:

— Melhorou?

# Não contavam com a minha astúcia

Foi por volta dos quatro anos, numa etapa em que sua saúde estava mais ou menos estabilizada, que procuramos a primeira escola de João. Na cobertura do prédio do Teatro Tablado, as primas Viroca, Vera e Aracy mantinham o Tabladinho, uma escola maternal onde João era tratado como apenas mais um daquele bando de criancinhas deliciosas. No clima de quintal, sem psicologismos, com teatro, música, festa, areia e comida gostosa, ele foi crescendo protegido do mundo. Gostava de varrer. Então lhe davam uma vassoura, e ele se divertia. Foram três anos de total felicidade. Eu não imaginava que depois fosse ficar tudo tão difícil e complicado.

João foi crescendo e já não podia mais varrer o Tabladinho. Precisávamos encarar a alfabetização. Ele não dava sinais de estar interessado no assunto. Não me lembro de como cheguei ao Grãozinho. Uma escola pequenina, que hoje não existe mais. Era uma casa simples, de gente simples. João sempre se deu bem no meio de gente assim, como se simplicidade rimasse com amor, credulidade, verdade, naturalidade e singeleza. Foi sempre entre os menos abastados que João encontrou suas amizades mais verdadeiras. O Grãozinho ficava embaixo do elevado Paulo de Frontin, num daqueles sobrados antigos que foram descaracterizados pela construção do gigante de concreto.

Naquela escola do Rio Comprido, João passava o dia colado com a cozinheira e foi no radinho de pilha que aprendeu e lançou em nossa casa uma música que seria um enorme sucesso tempos depois. Ele cantava empolgado a plenos pulmões:

*Pense em mim,*
*Chore por mim,*
*Liga pra mim*
*Não, não liga pra ele.*

Aquela figurinha delgada, vestida para o colégio de merendeira em punho, cantando música sertaneja, era de matar de paixão.

*Vamos pegar o primeiro avião*
*Com destino à felicidade*
*A felicidade pra mim é você.*

Foi João quem me ensinou a ouvir com carinho essas canções — que fazem parte do seu universo cheio de estradas e caminhoneiros — e a gostar delas. Anos depois, inseri a música de Leandro e Leonardo num show chamado *A vida é perto*. Essa frase foi tirada de uma conversa com Millôr Fernandes sobre a inútil busca da felicidade longe de si, quando ela pode estar acontecendo ali mesmo. Millôr também tinha uma filha fora do esquadro. Nas raras vezes em que tocamos nesse assunto, partilhamos a consciência de que para ser feliz basta um pouquinho de saúde.

O tempo no Grãozinho se esgotou. A escola ia até a alfabetização, e João já estava com oito anos e não sabia nem ler nem escrever. Tinha um bloqueio e uma resistência a prestar atenção que me tiravam do sério. Eu não conseguia ajudar. Não tinha paciência para ensiná-lo a ler pois ele não retinha o que aprendia. Se de manhã lia seu nome, à tarde olhava para as letras sem conseguir decifrá-las. Só então caí na real do quanto seria problemático encontrar um novo lugar para ele. Escolas conhecidas me recebiam e se mostravam receptivas e sem preconceito. Falavam da modernidade do método de ensino e da abertura da escola. A conversa mole terminava no momento em que eu apresentava o João. Seu aspecto chocava, e, alegando falta de vaga ou problemas com os outros pais, nos davam com a porta na cara. Saíamos desolados, João e eu, sem lugar que fizesse a sua matrícula e que o acolhesse na sua condição de diferente. Numa dessas investidas fomos a uma escola que aceitou João para fazer um teste. Ele ficou todo contente com o aspecto do casarão de Botafogo, onde as crianças entravam e saíam barulhentas.

— Mamãe, gostei muito da minha escola nova.

Chegamos na hora marcada e lá foi ele por uma porta pelas mãos de uma mocinha — a psicóloga. Voltou alguns minutos depois, e eu fui chamada. Ele ficou do lado de fora sentadinho. A moça me disse que seria inviável aceitá-lo porque ele não entendia o que ela pedia.

— Mas o quê?

E ela me disse que pediu para ele desenhar uma casa e ele desenhou uma escada, depois pediu para ele desenhar a família e ele desenhou uma árvore.

Não podia haver desculpa pior para rejeitar o João. Uma criança de nove anos com deficiência não tem que saber que uma casa é uma casa e que uma família não é uma árvore. Além do mais, a nossa casa de fato começava com uma escada e a nossa família podia muito bem ser representada por uma grande árvore.

João era uma criança diferente que precisava apenas brincar ao lado das outras, ser acolhida com amor, entrar e sair da escola, lanchar, ouvir soar o sinal do recreio e aprender, até onde conseguisse. Precisava ser incluído, e com isso viria o estímulo. Só queríamos ajudá-lo a ir um pouco mais além. Na minha maneira de ver, seria um privilégio para as outras crianças conviver com alguém que as fizesse lidar com o fenômeno da superação, que as ajudasse a relativizar a perfeição imposta com tanto afinco pela sociedade do Photoshop. Vejo na convivência com pessoas com deficiência um presente, uma oportunidade, uma chance de abertura para a complexidade da nossa existência. O mínimo que uma criança não deficiente pode ganhar com isso é um pouco de preparo para o que há lá fora, além de praticar a tolerância. Conviver com deficientes pode ensinar a sociedade a lidar com o imponderável. É uma maneira de ser feliz com mais facilidade. Ser feliz por não precisar se esforçar tanto para coisas tão básicas. Ser feliz por relativizar a sua condição. Naquelas escolas eu não encontrava alguém que pensasse como eu.

Saí daquela sala de mãos dadas com João e juntos choramos abraçados na calçada em frente à porcaria daquela escola.

Comecei a pensar em alternativas e a falar com todo mundo que conhecia sobre o que eu estava vivendo. Foi quando encontrei uma amiga que procurava trabalho numa escola e a convenci a fazer a alfabetização de João em casa. Pensava que depois de alfabetizado talvez fosse mais fácil encontrar uma escola que o incluísse. Ela nunca tinha trabalhado em nada parecido, mas topou o desafio. Jackie Hecker ia todos os dias em nossa casa e dava aulas num quadro-negro instalado no quarto do João. Ela criou umas cartelas e, devagar, o ensinava a ler, a contar, a desenhar e a manejar o lápis. Seu progresso foi enorme. Mesmo assim, ele estava bem longe de acompanhar uma turma de primeiro grau (hoje, o fundamental). Os irmãos mais novos já iam ao colégio e estavam mais adiantados que ele. Isso começou a ser um aspecto duro de encobrir para mantê-lo no seu papel orgulhoso de irmão mais velho.

Esgotadas as possibilidades da escolinha caseira, parti para o que eu menos queria: uma escola para excepcionais, no tempo em que as pessoas com deficiências eram chamadas assim. João nasceu em 1981, Ano Internacional das Pessoas Deficientes. A ONU lançou essa campanha visando à garantia de direitos e providências como acessibilidade e igualdade de condições para as pessoas com deficiência do mundo inteiro. Esse ano foi um marco mundial para a guerra contra preconceitos e atitudes discriminatórias. Eu não estava ligada nisso naquela época, mas vivia essa luta pela inclusão e estava em guerra contra a discriminação e o preconceito. Essa terminologia foi mudando desde então, mas quando João era pequeno ainda se dizia incapacitado, defeituoso, aleijado, anormal, inválido ou simplesmente excepcional. Demorou-se um tempo para chegar a forma mais adequada de terminologia, um jeito que não fosse preconceituoso e que valorizasse o termo "pessoa" antes de tudo. Passou-se a usar então "pessoas com necessidades especiais", mas logo se viu que necessidades especiais todos nós temos. Depois decidiu-se por "pessoas portadoras de deficiência", mas ainda assim não era correto porque ninguém "porta" uma deficiência, a deficiência às vezes é permanente. Se referir a "pessoas com deficiência" passou a ser o termo mais adequado. Assim, em primeiro lugar, valorizamos a pessoa.

Foi então num estabelecimento que aceitava pessoas com deficiência, bem longe de casa, num subúrbio do Rio de Janeiro, que consegui matricular João. Fui duas vezes sozinha ver a escola e saí de lá desolada. A escola mais parecia um hospital para doentes mentais. João não era doente mental. Não era isso o que eu queria para ele. Fui tentando me convencer de que ia funcionar e que ele precisava daquilo para desenvolver o aprendizado. Achei que ali as professoras teriam a técnica e o jeitinho para lidar com suas dificuldades e, querendo acreditar nisso, deixei-o lá no primeiro dia de aula, de coração partido. No fundo eu sabia que aquele ambiente poderia gerar um retrocesso em todo o meu trabalho de socialização e inclusão. Eu não via ninguém ali com um perfil parecido com o dele. O humor, o amor aos carros, a música sertaneja, o universo dos Trapalhões e do Chaves, ninguém ali me parecia apto a compartilhar suas paixões, e João com certeza não formaria uma identidade com aquelas crianças que, para completar, tinham idades diferentes.

Aquilo durou pouco, o suficiente para João me pedir, por favor, para não voltar para lá, onde tinha, segundo ele, garotos malucos que gritavam e mexiam na sua mochila.

Passei a encher seus dias com aulas de natação em casa e musicoterapia. O resto do tempo João passava andando de carro pra lá e pra cá, levando os irmãos ao colégio e visitando os avós enquanto minha angústia aumentava diante do seu futuro.

Nossa casinha de Laranjeiras tinha ficado pequena. Saímos em busca de um lar que tivesse algum jardim e que pudesse abrigar a família e o estúdio onde Edgar trabalhava com trilhas sonoras para o teatro e a televisão. Tínhamos o sonho de encontrar uma casa pronta, mas andávamos desiludidos com as que topávamos. Foi nesse momento que pedimos ajuda ao arquiteto e urbanista Lucio Costa. Além de primo distante do Edgar, Lucio mantinha uma relação próxima com sua mãe Ivna. Eram meio namorados, mas isso nunca foi assumido. Fato é que Lucio era a pessoa mais próxima e querida de nossa família. Frequentávamos seu apartamento no Leblon e cultivávamos uma idolatria a ele e a tudo o que sua figura exalava. Um dia, pedimos que fosse conosco ver uma casa que estava à venda em Santa Teresa. Assim que entramos, no hall, encontramos uma geladeira instalada bem no estreito corredor.

Lucio disse, admirado:

– Incrível não? Como é que conseguem fazer uma casa tão estranha?

Em seguida, sem maldizer ou depreciar, ia enumerando as falhas do projeto e as incongruências da casa. Naquele dia, desolados, perguntamos-lhe se porventura não desenharia uma casa para nós. Mas isso estava fora de cogitação. A única casa que Lucio havia projetado depois da morte da sua esposa Julieta, mãe de suas duas filhas Maria Elisa e Helena, tinha sido para essa última. Com a morte trágica de Julieta num acidente de carro, Lucio deixou de desenhar residências e sugeriu que pedíssemos à sua filha Maria Elisa, exímia arquiteta, que nos desenhasse a casa.

Partimos então em busca de um terreno. Pela indicação do próprio Lucio, conseguimos uma pirambeira na Gávea, na rua Caio Mário, bem em frente à casa de Helena, filha de Lucio, casada então com Luiz Fernando Penna. Maria Elisa se prontificou a fazer o projeto e já ia começar a rabiscar os croquis quando, numa tarde, nos ligou. Para nossa alegria e surpresa, ela contou que naquela manhã vira o pai desenhando e perguntara do que se tratava. Ele respondeu:

– Estou fazendo a casa dos meninos.

E fomos então conhecer o que viria a ser o projeto da casa onde criei meus filhos e vivo até hoje. Lucio a descreveu em seu livro, *Registro de uma vivência*:

Na mesma rua da casa de Helena e Luiz Fernando, ajudei a fazer, de quebra, outra casa, essa para Edgar Duvivier, músico, compositor e artista plástico, dons que herdou dos pais, casado com Olivia Byington, da incrível voz.

A casa é toda branca, muro inclusive, e coberta com telhas antigas. Vista da rua, é térrea, mas para trás despenca sobre o abismo, onde, aproveitando a estrutura, instalei o estúdio do artista; a casa tem ainda a particularidade de dispor de pequenas sacadas alpendradas, privativas dos quartos, voltadas para a copa próxima das árvores ou para a deslumbrante vista aberta do Corcovado distante.

Começamos a construção da casa na Gávea em 1987 e nos mudamos em agosto de 1989. João passou a ter um quarto só seu enquanto Barbara e Gregorio dividiam outro quarto. Era o nosso sonho realizado. O jardim ensolarado, a piscina, as varandas que davam para as montanhas, a Lagoa e o Cristo Redentor para sempre. Passamos a viver com espaço, conforto e, para completar, a trilha sonora do vibrante saxofone do Edgar que vinha do seu estúdio do andar de baixo e enchia a casa de música.

Com a mudança passamos a frequentar o shopping do bairro. Eram algumas lojinhas que funcionavam com pouquíssimo movimento no mesmo Shopping da Gávea que virou a imensidão que é hoje. Conhecíamos os donos das lanchonetes, marcávamos encontros com outras mães e outras crianças e considerávamos aquele primeiro andar uma espécie de quintal de casa. Ali João ficava solto, vigiado apenas pelo segurança, Jorge, um negro grande e forte que sempre nos recebia dizendo:

— Chegou a família real!

Eu ia para o cabeleireiro pentear meus longos cabelos que, naquela altura, iam até quase os quadris, e deixava os meninos rolando pela loja de brinquedos Rozenlândia sob os cuidados de Jorge. Na época, João aprendeu a cruzar os braços numa atitude de quem toma conta, de segurança. Ele se plantava ao lado de Jorge e cruzava os bracinhos, vigiando também os irmãos.

João sempre foi o irmão mais velho, capacitado e apto a dar broncas e a ensinar os menores. Ele nunca gostou de palavrões e proibia os irmãos de exclamar palavras que considerava de baixo calão. Isso às vezes incluía uma inocente exclamação como "Poxa!", que ele prontamente repreendia:

— Olha o falavrão!

Essa era a maneira que ele encontrava de se manter como autoridade. Gregorio, em comparação, era precoce e começou a ler sozinho aos quatro anos. Eu lidava com um filho adiantado e um com deficiência intelectual. Os dois conviviam perfeitamente, Gregorio jamais implicou, caçoou ou desdenhou do irmão mais velho. Enquanto ele lia livros inteiros com menos de cinco anos, lutávamos para ensinar o João a ler e escrever seu próprio nome. Seu desenvolvimento intelectual ia a reboque das tarefas práticas da vida. Era um menino apto e independente. Tomava banho e se vestia sozinho. Comia bem e brincava, mas seu aprendizado era lento, e as conquistas vinham devagar.

A televisão para João tinha só um canal, o SBT. "Lá vem o Chaves, Chaves, Chaves" era a vinheta diária da alegria do memorável *sitcom*. "Não contavam com a minha astúcia!"

O tempo que passasse *Chaves* ou *Chapolin Colorado* na TV ele ficava ali sentadinho assistindo, rolando de rir. Eu também adorava. Seu Madruga devendo o aluguel, Chiquinha superesperta, Quico, o garoto mimado com as bochechas enormes vestido de marinheiro, essa era a turma que João mais amava. As máximas de Chaves eram usadas lá em casa, e "foi sem querer querendo" e "suspeitei desde o princípio" eram bordões para todas as horas. Aquelas situações que ele via repetidamente todas as manhãs construíram um sentido de humor que viraram a sua marca registrada. Em geral, as coisas de que ele achava graça tinham alguma relação com as situações do programa. Diferentemente dos desenhos animados, a vila de Chaves era puro teatro com situações de identificação enormes para ele. Gente de verdade, gente pobre, um menino discriminado, os esquetes de mal-entendidos politicamente incorretos. Com *Chaves* a gente sabia que quanto pior, melhor. Todos se batiam muito, Chaves era o pior aluno, eles matavam aula, roubavam e mentiam. Dona Florinda ensinava o filho Quico a chamar os amigos de "gentalha, gentalha!". No entanto, era o menino mimado que no fim das contas se dava mal. E João torcia e vibrava com as aventuras do órfão que morava dentro de um barril.

Aos dez anos, as cirurgias feitas até então tinham deixado algumas sequelas no João. Não adiantava de nada sair chutando as paredes dos hospitais, nem processar cirurgiões, mas era duro conviver com as cochiladas dos médicos que, sabíamos, poderiam ter sido evitadas. A pior delas era uma falha óssea na caixa craniana, resultado das recorrentes aberturas nas suturas. O pulsar do cérebro debaixo do couro cabeludo, para além de visível, era sensível ao toque na parte que ficava desprotegida. Como a moleira de um bebê, fora do lugar, numa criança grande. Naquele ponto em que sentíamos com as mãos a parte mole da cabeça, uma pancada era obviamente perigosa, podendo ser fatal. Para os jogos de futebol e as voltas de bicicleta, protegíamos seu crânio com um capacete, mas volta e meia ele esquecia o acessório ou caía de mau jeito e entrava em convulsão.

Uma vez, no Iate Clube, João perdeu o freio e caiu da bicicleta. Ele tinha por volta de onze anos. Gregorio e Barbara, que estavam com ele, gritaram me chamando. João estava desmaiado, mas tremia levemente o braço. Era uma convulsão. Larguei imediatamente os meninos com alguém e saí desabalada de carro. Parados no engarrafamento de Botafogo, até chegar ao pronto-socorro, vivemos minutos intermináveis com o meu coração disparado no peito. Hoje em dia, com o celular, eu poderia ao menos dividir com alguém minha angústia e ter alguma orientação do que fazer. Mas dentro daquele carro só havia eu e João. Eu respirava fundo e falava com ele, tentando mantê-lo, mesmo que não totalmente, acordado. Sabia que não podia deixá-lo dormir. Ele não voltava a si e continuava com um leve tremor no braço. Eu já conhecia aquilo, ele já tinha entrado em convulsão outra vez, quando era bem pequeno. Mas naquele momento éramos só nós dois, ele cada vez mais inconsciente, os olhos parados e o braço magrinho que se mexia sozinho. "João, acorda João, olha o carro, olha o ônibus, olha o caminhão." E ele voltava um pouquinho a si, eu sabia que ele estava ali, mas parecia estar indo embora.

Cheguei à Urgil com ele no colo. A Urgil era o hospital infantil da Lagoa, dirigido pelo pediatra e geneticista João Barbosa Neto que cuidou do João desde o princípio. Eu já conhecia a emergência toda e era tratada com intimidade por médicos e enfermeiros. Com filhos pequenos você acaba tendo que frequentar emergências de hospital. Um corta o supercílio, o outro destronca o braço, um tem crises de otite, o outro enfia uma rolha no nariz. Naquela tarde, João chegou inconsciente. Precisou ser examinado, reanimado e medicado. Não ficamos mais do que quatro horas ali e fomos para casa nos recuperar do enorme susto. Os exames mostraram que nada de mais havia acontecido ao cérebro, nenhum sangramento ou coágulo tinha se formado com a queda. Apenas a pancada na parte mole tinha provocado um curto-circuito.

No dia seguinte, ele já brincava normalmente.

Outro acidente foi num jogo de futebol. João, escalado para o gol, aceitou a tarefa sem usar o capacete e levou uma bolada na cabeça. Caiu duro em frente às traves e perdeu a memória. Não sabia mais de nada. Corremos de novo para a Urgil, onde ele ficou internado alguns dias com os médicos tentando fazê-lo voltar. No começo, era uma ausência total e um mistério. O que será que se passava naquela cabeça? A tomografia não mostrava nada importante. Aos poucos, João foi voltando e tudo foi se convertendo em uma grande confusão. Os médicos faziam algumas perguntas às quais ele respondia com gaiatice e humor. Nessa idade ele já conhecia e sabia a ordem dos sete dias da semana. Sábados e domingos eram reservados para os bons programas com os irmãos — jogos de futebol, bicicleta e praia do Pepê. Pois ele trocava a ordem dos dias dizendo que depois do domingo vinha a sexta, o sábado e o domingo de novo. A gente não conseguia descobrir se ele não se lembrava realmente das coisas ou se estava inventando moda e gostando da brincadeira de esquecer, bem no estilo Chaves.

Passados uns dias, lá estava ele de volta pronto para o próximo capítulo. A partir dessas crises, João passou a tomar diariamente carbamazepina, a droga que ajuda no controle das convulsões. Para nós, esses acontecimentos nunca foram uma justificativa para criar João numa vida reclusa ou protegida demais. Viver como as outras crianças era só o que ele queria, mas tínhamos que dar um jeito de fechar essa falha no crânio. Não dava para viver eternamente no calor do Rio de Janeiro usando um capacete.

João crescia com essas idas e vindas de hospitais, e começamos a pensar na próxima grande cirurgia, consultando novos especialistas. Os meninos em casa se acostumaram a esses sustos e acabaram por perder a cerimônia com as mazelas do irmão. Em 1990, João teve um abscesso na barriga e passamos quase um ano inteiro lidando com esse capítulo.

Tudo começou com uma protuberância quente nas costas. João dificilmente reclama de dor. Ele ganhou essa resistência ao longo da sua existência talvez por ter conhecido esse tipo de sofrimento já nas primeiras horas de vida e ter passado por tantas cirurgias e internações no decorrer dos anos. É raro ouvi-lo queixar-se de algum desconforto, o que nos leva a valorizar suas reclamações. Ele teve pouca chance de fazer manha e dava sinal quando o sintoma era além do suportável na sua escala de dor. Na verdade, se fosse para reclamar, João teria que passar a vida gemendo. Os olhos têm feridas na córnea que parecem doer muito. Sua coluna é desengonçada, as unhas dos pés e das mãos encravam sempre. Motivos não lhe faltariam. Mas isso não acontece. Ao contrário, ele é um sujeito cheio de senso de humor e sempre pronto para se divertir.

Foi num dia depois do banho que notei que tinha alguma coisa estranha nas suas costas, bem na altura da cintura. Vi que a região estava vermelha como um tomate e, ao tocá-la, senti que a temperatura era a de uma febre alta localizada naquele ponto abaixo das costelas. Como uma batata saindo do forno. Mais uma vez corri para a Urgil. O ultrassom não mostrou nada além de um abscesso, e os médicos fizeram um furo na batata quente para drenar o pus. Fomos para casa com o curativo, e fiquei encarregada de trocá-lo diariamente. No começo aquilo era assunto de portas fechadas, eu me esterilizava inteira para limpar o furo, medicar e fechar com gaze. Porém, o tempo foi passando e o furo não cicatrizava nem conseguíamos chegar a um diagnóstico sobre o que causava o abscesso. Voltávamos à emergência e ninguém entendia o porquê daquilo. Resultado:

passamos a conviver com o furo com naturalidade, adotamos o furo. Afinal, eram meses de abre-fecha curativo, vai para o hospital, abre a ferida, fecha, volta para casa, o abscesso volta, abre de novo, dreno, curativo. Aquilo se tornou tão corriqueiro que, de repente, lá estava João pulando dentro da nossa piscina com um furo nas costas, e as crianças em volta ajudando a fechar com a gaze e empurrando ele para a água outra vez. O final dessa história é que depois de meses tivemos que novamente interná-lo com a piora do abscesso. Um médico teve a ideia de injetar iodo pelo furo de onde drenava o pus e radiografar. O contraste mostrava o longo caminho da infecção (fístula). Ela dava a volta para o outro lado da barriga, onde morava um pedaço de cateter de borracha. Esse objeto foi esquecido ali na cirurgia que tinha sido feita anos e anos antes para remediar um princípio de hidrocefalia. Era o cateter que ligava a válvula no cérebro ao abdômen. Retiraram a válvula, mas esqueceram o cateter na cavidade abdominal.

Foi uma cirurgia longa para retirar o corpo estranho que já estava quase perfurando o fígado do João. Ao sair da sala de operação, para justificar as seis horas de trabalho, o exemplo que o médico usou foi:

— Imagina você esquecer um canudo dentro de um aquário por mais de uma década. Pense no que acontece com ele.

Meu filho não era aquário nem eu queria que alguém tivesse esquecido nada dentro dele. Mas saímos de mais essa e, na véspera de Natal, dia do meu aniversário de 32 anos, liquidamos de vez com o furo.

A luta pela escolaridade tinha que ser retomada, e eu estava sempre indagando e pedindo sugestões para quem quer que fosse. João andava pela casa com uma lancheira pendurada dizendo que ia ao colégio e isso nos dava a medida do quanto ele sofria vendo os irmãos indo à escola. Numa dessas tomei conhecimento de um educador chamado Laerthe que trabalhava com um método de ensino pelo computador, o LOGO. Partindo da filosofia construtivista, ele ia ensinando o João a fazer uma tartaruga andar pela tela do computador. Com isso, ele aprendeu os comandos do DOS e, ao girar a tartaruguinha para a esquerda e para a direita, exercitava a mente de forma criativa, lúdica. Laerthe morava em Petrópolis. Minha mãe tinha ficado viúva e morava sozinha na casa em Mosela, bairro da mesma cidade. Fazendo uma avaliação minuciosa do João, Laerthe acreditou que seria possível desenvolver um bom trabalho com ele, mas para isso ele teria que morar lá e frequentar a escola Associarte, uma associação de pais e alunos criada por ele. João tinha a chance de começar um aprendizado especializado, numa escola com poucas crianças e ainda contar com a dedicação exclusiva de minha mãe. Foi aí que começou a mudança de João para Petrópolis. Ele tinha dez anos, a cidade pequena e o colo da avó o protegiam. Vera se tornou seu refúgio. Tudo colaborou para essa mudança e, finalmente, João foi matriculado numa escola.

A Associarte era no meio do verde. Não tinha recursos, mas era cheia de ideias modernas sobre preservação ambiental, sustentabilidade e ecologia. E o mais importante: amavam o João e o incluíram sem restrições. Nos fins de semana, meu filho voltava para o Rio e ficava com os irmãos, mas sua vida agora era na serra. Para sua alegria, entre as duas cidades havia uma estrada e ele podia passar horas dentro do carro ou do ônibus, como tanto gostava.

Minha mãe sempre foi parceira e me deu suporte com o João. Mas a partir daí ela assumiu também o papel de educadora e, seguindo as orientações do professor Laerthe, fazia o João penar para aprender coisas simples como amarrar os cadarços dos sapatos. No primeiro encontro, o professor foi logo criticando seus tênis com tiras de velcro. Laerthe não via razão para essas facilidades e orientou minha mãe a não ajudar o neto a calçar-se nem a vestir-se. João passava horas no quarto tentando fechar os botões e, do lado de fora, mesmo sabendo que não podia ajudar, minha mãe sofria. O mesmo se dava com os zíperes e tudo o que requisitava trabalho com as mãos.

Os cadarços dos tênis eram seus inimigos, mas, aos poucos, com todos em volta torcendo, o vaivém dos laços foi virando uma brincadeira gostosa até um dia virar uma cena comovente. O mesmo se dava com a comida. Aprender a segurar a colher, o garfo e depois o mais trabalhoso, a faca. João rezava por uma banana amassada, um purê de batatas, mas a indicação era toda no sentido de fazê-lo mastigar coisas difíceis. Tínhamos que estar sempre de olho para ele não engolir um bife em uma garfada para fugir do trabalho de cortar e mastigar a carne.

João foi ganhando essas habilidades e depois de um tempo já podia fazer tudo sozinho. Quando ele vinha passar as férias e os fins de semana conosco continuávamos o trabalho da avó, mas tínhamos menos tempo para nos dedicarmos a isso. Lá em casa éramos um bando e isso também fazia bem a ele.

Miguel de vez em quando recebia o João em sua casa no Rio, nos fins de semana. Estava solteiro e não sabia bem como dar atenção a ele, até que começou a namorar Viviane. Tudo muda para melhor quando entra em cena alguém que encoraja e ajuda um pai a se relacionar com o filho. Em alguns casos a segunda esposa incrementa a relação do pai com os filhos do primeiro casamento. É tão importante quanto raro. Ciúmes e competitividade acabam minando esse convívio. No caso do João não havia só esse tema, mas também a deficiência. No entanto, Viviane foi uma das pessoas mais queridas que João teve na infância. Os dois tomavam café da manhã na cama assistindo ao programa da Xuxa, e ir pra casa da Viviane era o programa que ele mais amava. Miguel também se aproximou do filho com esse incentivo. Mas, para minha tristeza, os dois se separaram e tudo voltou ao que era antes.

A mudança para a casa da Memé, apelido da avó Vera, em Petrópolis, se consolidou definitivamente, e minha mãe, com sua perseverança, foi conduzindo o processo educacional do João. Miguel e eu devemos a maior parte da educação do João a ela. Se eu não fosse sua filha talvez não tivesse tido a atitude que tive com João desde o início. Aprendi com seu exemplo a ter fibra, tenacidade e resistência. Desde criança, admirava-a desenhando, tocando violão e cuidando de nós três. Suas meninas foram preparadas para a vida como uma tropa de elite. Ela nos ensinou a nadar, a acampar, a andar de bicicleta e também a ler bons livros, ir a concertos, frequentar museus e exposições desde pequenas. Íamos para lá e para cá a bordo de um DKV-Vemag, uma pequena caminhonete também conhecida por vemaguet, que ela pilotava com tremenda atitude. Na casa dela, os pequenos consertos – como ajustar o ferro de passar, fazer furos nas paredes ou trocar a carrapeta das torneiras – não eram terceirizados. Com o cabelo cortado *à la garçonne* e a sua pouca idade, tenho na memória a perfeita imagem da carioca dos primórdios da Bossa Nova. Uma moça de esquerda com amigos desaparecendo nos porões dos militares. Ela nos ensinou que em casa podíamos falar sobre o "golpe" de 1964, mas no colégio tínhamos que chamar de "revolução". Nas aulas de educação moral e cívica que eram dadas no Brasil nos anos 70, segundo ela, estavam os delatores do sistema que invadiam as casas dos pais dos alunos que emitiam alguma opinião mais arrojada contra a ditadura. Às vezes ouvíamos o seu violão à noitinha, antes de dormir, e eu sonhava em fazer aquilo um dia para os meus filhos e ser uma mãe tão forte e sabida quanto ela. Durante todos os anos em que estivemos distantes do nosso pai, ela desempenhou seu papel com valentia. Numa época em que a sociedade conservadora discriminava mulheres descasadas, minha mãe, antes dos trinta, trabalhava em uma agência de publicidade e dava aulas particulares sem deixar de ser uma mãe dedicada e presente.

Quando João nasceu, ela tinha 46 anos e estava no terceiro casamento. Foi uma avó precoce que daria o sangue por seu neto e sua filha se fosse preciso. Foi ela quem me rendeu em todas as cirurgias do período em que meus outros filhos eram bebês de colo e eu me dividia entre o hospital e eles. Nas noites varadas de aflição das temporadas mais dramáticas eu sabia que podia contar com ela. Mesmo antes da mudança de João para Petrópolis, ela esteve perto dele atendendo a todas as suas necessidades.

Meus pais se separaram ainda jovens. Não se falaram durante anos. Brigas e picuinhas do passado, queixas de ambas as partes e outras questões impediam os dois de se relacionarem pacificamente. Pela vida inteira ouvi a troca de farpas e críticas disparadas de ambos os lados. Bastava que numa conversa um fosse citado para ficarmos sabendo de rixas e implicâncias familiares que ficaram pelo caminho. Meu pai se casou outras vezes, minha mãe também. Sentíamos falta de tê-los nas festas de família, nos natais e outras comemorações. João já tinha ido morar em Petrópolis quando um dia pegou uma carona com o avô Carlos. Ele ia ao encontro de Vera, a avó, minha mãe. No caminho o avô parou em um posto de gasolina para abastecer o carro. Enquanto aguardavam foram à loja do posto. Meu pai, querendo agradar o neto, disse que ele poderia escolher o chocolate que quisesse. João, que, como eu, nunca gostou de chocolate, ficou quieto e pegou um tablete qualquer da estante. Seguiram rumo ao iate onde João ia ser deixado para encontrar a avó. Despediu-se do avô, saltou do carro e entrou no clube. Foi quando ele sacou o chocolate e disse para a avó:

— Toma. É um presente que o vovô Carlos mandou pra você.

Minha mãe, desconcertada com o gesto, ligou no dia seguinte agradecendo o presente. Meu pai imediatamente percebeu o que João havia feito. Ele havia quebrado o código do litígio inútil e caduco entre os dois. Como duas crianças que entrelaçam seus dedos mindinhos para trocar de mal, entrelaçaram os indicadores para trocar de bem. Obra do João. Foi nesse ano que passei o meu primeiro Natal com a família completa. Meu pai e minha mãe passaram a se falar, combinaram de tomar um chá juntos e desde então são bons amigos e compartilham nossas festas e comemorações, para minha felicidade extrema.

Nunca cheguei à conclusão se isso foi uma coisa premeditada ou se foi apenas uma artimanha de João para se livrar do chocolate.

# Ah, que vida boa

A primeira vez que vi um menino como João foi em Salvador. Fazíamos um show de sax, voz e instrumentos eletrônicos comandados por um pequeno Macintosh SE. Éramos nós dois, Edgar e eu, no palco e toda aquela parafernália eletrônica. Viajamos o Brasil inteiro assim e volta e meia encaixávamos os shows nas férias das crianças. Dessa vez fomos para o Hotel da Bahia, em Salvador, e já no primeiro dia levamos todos para a Igreja do Bonfim. O menino que me chamou atenção brincava alegremente do lado de fora. A semelhança com meu João era impressionante. Tomei um tremendo susto. Era uma criança humilde e provavelmente não tinha sido tão operado quanto ele. No entanto, tinha os mesmos olhinhos saltados, a meia face retraída, mãozinhas comprometidas, a arcada dentária desordenada e a vozinha fanha. Era um outro João, sem os olhos azuis e os cachos louro-acinzentados. Eu voltei para o hotel triste, traída, como se meu filho não fosse só meu, mas pertencesse também àquela outra família silenciosa.

Mais tarde, com a internet, ficou fácil achar semelhantes e entrar para alguns grupos de troca de informação. Tivemos acesso à rede desde cedo, em 1994. Ninguém sabia bem o que era exatamente aquilo, nem sonhávamos com o que ia virar. Edgar instalou um modem no computador e nos afiliamos a um servidor chamado Cybernet. Compramos um livro enorme para ler e aprender a lidar com a novidade. A relação com a web era a mesma que ouvimos contar da entrada da televisão ou da luz elétrica na vida doméstica de antigamente. A gente não sabia bem o que ia fazer com aquilo, mandávamos e-mails para a Nasa só para ver na caixa de entrada do correio um aviso: "*You've got Mail!*". O programa de e-mail chamava-se Eudora e hoje nem existe mais. Logo passamos a usar o também extinto navegador Alta Vista e o Yahoo — anos antes da criação do Google — e com eles as ferramentas de busca em que teclávamos "A-p-e-r-t!". Lá estava a página criada pelos pais de uma menina americana chamada Teeter. Era um site dedicado à síndrome com carinhas iguais às do João. De todas as idades, de todas as raças, mas todos da família Apert. Mandamos uma fotografia dele aos treze anos em cima da bicicleta. Até hoje na Teeter's Page consta o nome e a foto de João Byington, filho de Edgar Duvivier e Olivia Byington.

Em 1993 eu já não pensava mais em ter filhos. Gregorio pedia outro irmão, e eu, aos 35 anos, brincava dizendo que estava me preparando para ter netos. Foi então que, no meio de uma turnê para o Nordeste com o violonista José Paulo Becker e Edgar, despertei às seis da manhã com uma ânsia bizarra de comer Corn Flakes. Desci pelo elevador do hotel e me instalei numa mesa no canto do restaurante, que servia um farto café da manhã. Atulhei um prato de sopa com as casquinhas crocantes e derramei por cima o leite gelado. Senti o cheiro de milho e ouvi os estalinhos da infância na fazenda do meu pai quando comíamos aquele mesmo cereal todas as manhãs. Subi para o quarto saciada do apetite meio insano e acordei Edgar.

— Acho que estou grávida.

Minha quarta filha veio completar a família. Nasceu em março de 1994 sob o signo de Peixes, mesmo signo de seu irmão, João. Uma boneca de olhos enormes, risonha e supersaudável. Chegou para engrossar o time feminino e foi chamada por nós de presente de Deus — Theodora. Barbara até então reinava entre os garotos da casa, não gostava de bonecas nem de se vestir de menina. Em vez de vestidinhos, se enfiava em shorts surrados com borzeguim preto e era mais esperta e evoluída que todos os meninos que frequentavam a nossa casa juntos. Theodora foi a passagem de Barbara para o mundo das meninas. Ela se associou a mim para cuidar daquele bebezinho e se encantou pela boneca de verdade. Trocava fraldas com desenvoltura e sabia fazer brincadeirinhas de bebê que fascinavam a irmã mais nova. A certa altura, a chegada de Barbara do colégio era aguardada com ansiedade por Theodora que, sentada no carrinho, dava gargalhadas com a irmã de seis anos. João também brincava e se divertia com ela. Ele sempre se encantou com crianças pequenas e empurrar o carrinho pra lá e pra cá era uma honra que ele exercia com orgulho de irmão mais velho. Passeávamos pela rua Caio Mário aproveitando o sol e o jardim daquela casa que perecia ter reservado um espaço para o bebezinho querido que tinha chegado de surpresa.

Em 1994, a vida parecia calma, mas estava na hora de começarmos a pensar no avanço da meia face. Como a síndrome provoca o fechamento precoce das suturas do crânio, todas elas, inclusive as que formam a face, se consolidam prematuramente.

Isso é o que impede o desenvolvimento ordenado do rosto. O problema não é só estético, mas funcional. Trata-se da expansão, do crescimento dos ossos do nariz, da boca, da evolução dos dentes, com outras implicâncias para a saúde geral da criança com síndrome de Apert. Disso vai depender a respiração, a fala, a mastigação, a visão e, mais tarde, a audição.

João, aos treze anos, também sofria cada vez mais com a claridade por causa dos olhos saltados (exoftalmia). Além de dormir com os olhos semiabertos, quando não estava de óculos escuros e boné, se encolhia com os bracinhos na frente do rosto para tapar a luz. O melhor fechamento das pálpebras era urgente. O ressecamento da córnea então já dava sinais de que seria um problema para a vida toda. A superfície do olho ia ficando arranhada e a luz causava dor e desconforto, além de, a longo prazo, colocar sua visão em risco. Essa cirurgia tinha sido anunciada desde Nova York quando os cirurgiões de lá viram João pela primeira vez. Sabíamos que era preciso que ele crescesse para mexer nisso, e a hora havia chegado.

Minha pequena Theodora ainda não tinha completado um ano. Era dezembro de 1994. Miguel e minha mãe partiram antes com João para interná-lo no hospital em Barão Geraldo, em Campinas, onde o dr. Cássio Menezes Raposo do Amaral operava com sua equipe. Já não lembro como chegamos a esse cirurgião. Mas foi a ele que confiamos todas as novas cirurgias dali pra frente. Na ocasião, ele operava no hospital da Unicamp e aguardava a chegada de João. Eu iria encontrá-los em seguida. Naquela manhã do dia 8 acordei para pegar o avião e vi na televisão a notícia da morte de Tom Jobim. Meu amado e querido Tom tinha morrido no hospital Mount Sinai, em Nova York. Segui para Campinas ainda tonta, sabendo que ia encontrar Miguel também inconsolável com a perda do amigo. Quando nos encontramos, Miguel já estava ciente do acontecido, mas não podíamos nos afastar dali e passamos os dias seguintes no hospital, com João internado, assistindo por uma TV em preto e branco as homenagens a Tom no Jardim Botânico, no Rio de Janeiro. A enorme tristeza de não ter podido dar adeus a meu amigo hoje se mistura àquela dor de ver João imobilizado num dos pós-operatórios mais difíceis pelos quais passou.

O cirurgião plástico craniofacial, o dr. Cássio, era especialista nesse tipo de má-formação. Tinha estudado na França e nos Estados Unidos e era professor da Unicamp. Perseguia o aperfeiçoamento da técnica de operar esses casos e tinha fundado anos antes a Sobrapar, uma sociedade voltada para a reabilitação das deformações da face. Era um homem bonito que podia se passar facilmente por um galã de cinema dos anos 50. Rosto quadrado, alto, cabelos pretos, compridos o bastante para serem penteados para trás deixando fios inteiros. De poucas palavras, não era fácil arrancar dele um sorriso. O dr. Cássio nos foi indicado como o único cirurgião no Brasil capaz de realizar a operação de trazer os ossos da face para a frente. Nós acreditávamos nele e no seu time, e entregamos João a eles, confiantes. Sua mulher, a dra. Vera, psicóloga, acompanhava o marido e a equipe da qual também fazia parte um neurocirurgião. Essas cirurgias eram complicadas e caríssimas. Meu pai sempre esteve pronto a colaborar e nunca fez conta com esse dinheiro. Foram fortunas gastas ao longo dos anos apostando nessas promessas de melhora, nesses novos procedimentos. Um caminho duro, sofrido e caro, com pós-operatórios dificílimos e tropeços no caminho.

Cada cirurgia era um grande risco. Não tínhamos exemplos em volta para nos basear e saber como ia correr o processo. Quando você precisa fazer uma cirurgia qualquer, consulta amigos que tenham passado pelo mesmo procedimento, procura casos semelhantes, tenta se informar. Mas no caso do João não poderíamos vislumbrar o que estava no horizonte. Cada caso operado pela equipe de Campinas era diferente do outro. Tínhamos notícias de que algumas crianças com a mesma síndrome foram operadas, mas não tivemos contato com nenhuma delas enquanto estivemos lá. Desde a entrada do João para o centro cirúrgico até a volta pra casa, tudo nos surpreendia e, por vezes, lidar com o desenrolar dos fatos era desesperador.

Recordo que, depois dessa cirurgia, João teve que ficar alguns dias sedado, na UTI. O rosto todo coberto, só os olhinhos de fora. As mãos amarradas para que não mexesse nos curativos. Tudo costurado, imobilizado, doía na gente ver aquilo, e eu não me sentia preparada. Apesar de já ter passado por tantas outras experiências com ele, aquela era a primeira vez que ele teria que ficar tanto tempo sem se alimentar, sem falar, e nós ali com o coração dilacerado, esperando que pelo menos todo o sofrimento resultasse numa grande melhora. Digamos que essa cirurgia tenha tido um ótimo resultado. Valera a pena, mas os médicos já planejavam outra.

Eu ficava hospedada na fazenda do meu pai, a cem quilômetros do hospital. Essa fazenda foi a sede da minha infância com minhas irmãs, e, pela proximidade com a cidade de São Paulo, sempre foi usada como a segunda casa de meu pai. Eu me dividia diariamente entre Gregorio, Barbara e Theodora na fazenda e João no hospital, onde minha mãe Vera ficava de plantão. Fazia aqueles cem quilômetros sob o sol escaldante em um carro alugado, um Golzinho mil cilindradas que corria leve e veloz pela Bandeirantes. Eu rodava a 130 quilômetros por hora e um dia fui parada pela Polícia Rodoviária.

Eu disse:

– Tenho quatro filhos, três estão aqui perto, mas o outro, que acabou de ser operado, está com os olhos vendados, a boca costurada e se alimentando por uma sonda no nariz faz dez dias, a cem quilômetros daqui. Não me peça, por favor, para andar devagar.

O guarda me mandou seguir.

A mesma equipe de Campinas comandada pelo dr. Cássio, dois anos depois, veio solucionar a falha óssea no crânio de João. Foi no hospital Albert Einstein durante as Olimpíadas de Atlanta, em 1996. João, já com quinze anos, pediu diretamente ao médico que não raspasse seu cabelo e voltou da cirurgia de treze horas com um penacho que saía por cima do cocuruto. Puro carinho e delicadeza do amigo dr. Cássio com seu paciente.

Na cirurgia, que demorou a eternidade de doze horas, o cirurgião plástico e o neurocirurgião, o dr. Thomaz Rinco, criaram uma calota craniana de acrílico, uma prótese para proteger o cérebro e acabar de vez com o risco da exposição direta da massa cefálica. Um capacete que o João não se esqueceria de usar nunca mais e que daria a ele uma garantia de segurança para os passeios de bicicleta, os jogos de futebol e as brincadeiras normais de qualquer menino.

Enfeitamos o quarto com uma grande bandeira verde e amarela e desrespeitamos a proibição de visitas decretada pelos médicos. Para mim, era parte da terapia a festa constante no quarto com a visita dos irmãos e dos amigos de São Paulo, a televisão ligada e a conversa com os enfermeiros que ficavam rendidos e apaixonados pelo pequeno e surpreendente João. A tristeza reinava naquela ala. Crianças de cabeça raspada passeavam pelos corredores com seus sacos de soro, famílias choravam a perda de um ente querido, vítimas de acidentes graves davam entrada. A vida em volta não era fácil, e os dias iam passando arrastados com a gente ali, ao lado do leito, esperando que o organismo de João incorporasse a nova prótese de acrílico. O capacete para o seu crânio era em tese o ideal, mas o corpo precisava aceitar a nova peça.

Porém, isso não acontecia, e o tempo parecia se esticar em dobro com o suplício de vê-lo ter que se submeter à punção a frio do líquido que se acumulava na cabeça. Eu inventava o que fazer para passar o tempo. Minha amiga Monica Figueiredo, que era editora da revista *Capricho* na época, me encomendou aquarelas para ilustrar matérias de moda. Eu ficava ali pintando, num bloquinho mínimo, aproveitando as aulas da minha mãe. Formada em belas-artes, ela domina técnicas de desenho e pintura e durante aquelas infindáveis horas a gente trocava o tédio pelos pincéis e canetinhas de nanquim. Todas as tardes, o dr. Cássio passava e analisava o andamento do processo. Caso não desse certo, seria necessária mais uma longa cirurgia para retirar a prótese, e tudo continuaria igual a antes. Essa era a ideia mais aterrorizante para mim, pensar que todo aquele flagelo poderia trazer ainda mais sofrimento e que, no fim das contas, estaríamos no mesmo lugar, senão pior do que antes. O fato é que a aceitação da prótese não estava acontecendo. Como última tentativa, foi feita uma touca de compressão, semelhante às usadas pelas vítimas de queimaduras, que apertava toda a pele contra o crânio tentando evitar o acúmulo de líquido. Novenas, promessas, quantas rezas e pedidos ao universo fizemos para aquilo dar certo.

E deu. Depois desse calvário, o organismo parou de rejeitar a prótese. Passaram-se alguns dias e o líquido em volta do crânio não se acumulou mais. Aquilo era o aviso de que a engenhoca já não era considerada um corpo estranho ao organismo. Estava funcionando, a prótese havia finalmente sido aceita pelo corpo.

Foi quando João se sentou na cama e voltou a ter fome. Tomou um belo banho com a enfermagem, vestiu um pijama limpinho e cheiroso. Já não lhe doía a cabeça e as punções haviam cessado.

Pediu para sentar-se na poltrona do quarto de posse do seu Game Boy.

Depois de um longo suspiro, exclamou:

– Ah, que vida boa.

# Pergunte a ele

Educar uma criança com deficiência não é tão diferente de educar qualquer criança sem deficiência alguma. Limites, leis, sermões continuamente repetidos fazem parte da tarefa que se estende por toda a vida, que é habilitar alguém para o convívio social. Tudo isso começa dentro de casa. Amor, colo e contato ajudam a tornar a outra parte menos dolorosa. Uma coisa não funciona sem a outra. A bronca e depois a reconciliação e o abraço. Dá mais trabalho do que mimar, é mais custoso do que delegar, mas a compensação é ver frutificar na frente dos seus olhos pessoas agradáveis. Criar seu filho como um príncipe dará a ele boas chances de virar um sapo. Ouço reclamações de pais em relação ao ensino das escolas, mas creio que falta dedicação aos filhos dentro dessas mesmas casas. A escola nunca vai substituir o que é tarefa dos pais.

Meu pai participou ativamente da educação dos meus filhos. Durante as férias na fazenda, com todos em volta da mesa, se desenvolveu um laboratório de psicologia analítica. O dr. Byington percebia nossas atitudes em relação às crianças e seu comportamento e nos criticava e orientava. Ele se sentava no chão e brincava com marionetes e bichinhos de pelúcia com os netos.

Ia fazendo dramatizações sem que eles percebessem que estavam sendo observados e sob as técnicas de mobilização do avô. Foi um grande privilégio esse acompanhamento e até hoje tenho a sensação de, dessa maneira, ter desatado nós importantes. A elaboração conjunta de problemas pela conversa, pela percepção dos outros, a interação amorosa com minhas irmãs sempre foram fundamentais no amparo subjetivo da minha vida. Meu pai me ensinou a levar em conta o que se passava no meu inconsciente e a ouvir de várias formas as mensagens que ele mandava. Me ensinou também a me lembrar dos sonhos, a anotá-los, a interpretar minhas atitudes levando em conta vontades ocultas. Em nossas conversas, desde cedo, ele falava em aceitarmos a raiva, a inveja, o ciúme como funções importantes na formação do caráter e entender que, se bem administradas, podem empurrar a vida para frente. Esses ensinamentos me ajudaram também no processo com o João, a aceitar que, dentro de mim, nem tudo são rosas. Não tenho a ideia de que ter um filho com deficiências é uma honra, como às vezes é para algumas pessoas. Também não deixo de ter alegrias com ele, de admirá-lo e amá-lo. Por vezes, tenho que confessar, sinto raiva disso ter acontecido comigo e de ter passado anos da minha juventude numa batalha dolorosa para melhorar sua condição de vida em vez de estar me preocupando apenas em ser jovem e curtir a vida. São pensamentos que passam, e eu me forço a ter consciência disso sem me sentir culpada.

Olho para João e imagino que foi por um triz. Como teria sido a minha vida e a dele caso não tivesse havido esse acidente genético? Um menino de olhos azuis acinzentados, pele branquinha, cabelo louro-escuro, alegre e cheio de saúde. Uma jovem mãe como tantas outras, dedicada e feliz com o seu filhinho. Guardo ainda no fundo do peito a tristeza do momento em que perdi esse menino e deixei de ser essa mãe. Em algum lugar escondido há um sentimento de responsabilidade e culpa. São sentimentos distintos e confusos para traduzir. Em parte me sinto responsável pelo acidente genético, que afinal se deu dentro de mim. Também me sinto culpada por lamentar sua má-formação e sonhar com aquele filho que não nasceu. A razão nunca conseguirá apagar esses sentimentos tão profundos e contraditórios, mas tenho que visitá-los no porão. Não que eu faça questão de saber mais do que já sei sobre esse acidente genético. Quando penso nisso, me sinto em contato com mistérios que estão além de explicações e certezas. Querer saber como aconteceu é tão prepotente como querer saber a hora de nossa morte.

Na fazenda do meu pai João se sentia de bem com o mundo, e para nós aquele convívio era natural e aprazível. Pescávamos na represa, nadávamos e andávamos de carroça até a cidadezinha próxima com ele segurando as rédeas. João ficava solto, no meio dos peões, andando de trator, fazendo de conta que trabalhava com o administrador. Ninguém o evitava, ele era bem-vindo em toda parte e desaparecia nas casas dos colonos para almoçar junto aos trabalhadores. Foi na fazenda que ele se recuperou da cirurgia de Campinas, com os meninos comemorando a sua volta como a chegada de um herói vitorioso. Era assim que encarávamos. João cheio de hematomas e cicatrizes aparentes, magrinho e careca, tendo que ficar deitado. Mas em volta o clima era de festa e alegria. Passados uns dias, lá estava ele de novo em cima do trator, cheio de apetite e energia, dando ordens e zangando com os irmãos. Essa capacidade de recuperação era contagiante. A gente se esquecia do sofrimento porque ia na onda dele.

Algumas vezes perdi a cabeça por causa de preconceito contra João. Uma delas foi com uma menina que devia ter a mesma idade dele na época, dez anos. Crianças podem ser cruéis. Numa galeria de lojas, João e eu tomávamos uma Coca-Cola no balcão de uma lanchonete. Fazíamos hora para a musicoterapia no Largo do Machado e estávamos distraídos e contentes. A menina começou a nos rodear falando asneiras do tipo:

— Olha o monstro, buuu, estou com medo!

E gargalhava e pulava, gritando:

— Olha o monstro!

Eu não via a mãe daquela criatura e não sabia como me livrar daquilo que ia num crescendo repetitivo de pesadelo. Tinha vontade de esganar a menina, e ela não parava, apesar dos meus pedidos.

— O monstro, olha o monstro!

E fazia caretas, a um metro de João.

Numa certa altura, enchi o copo de Coca-Cola e, num golpe, atirei o líquido em cima da menina endiabrada. João teve um ataque de riso que só parou em casa. Esse momento ficou registrado na sua memória e pela vida afora ele mesmo dizia, assim que surgia uma situação como essa, quando sofria olhares e críticas...

— Olha a Coca-Cola...

E ríamos juntos da nossa piada secreta.

Houve outros episódios de constrangimento com João. Sempre tentei disfarçar olhares de repulsa para que ele jamais percebesse que era com ele. Noto quando as pessoas se afastam numa loja para comentarem umas com as outras, vejo cabeças que se abaixam no elevador para evitar contato visual, meninas e meninos saudáveis que não escondem sua expressão de estranhamento. Constato a cada dia que o mundo não está preparado para conviver com a diferença. Não falo só de deficiência, deformidade ou doença, mas de qualquer diferença mesmo. Volta e meia um homem alto demais é parado na rua para dizer a sua altura e satisfazer os curiosos. Que dirá os anões, os cegos, os surdos e os Apert como o João! Dificilmente alguém sabe o que dizer diante de uma criança com síndrome de Down e cai no lugar-comum de falar algo como "essas crianças são tão amorosas" ou "ele vai te fazer companhia pra sempre". No caso de João, pessoas já me fizeram perguntas sobre ele como se ele não estivesse ao meu lado ouvindo tudo. E eu reajo.

— Pergunte a ele!

Não mimamos João por ele ter nascido com uma síndrome. Foi com trabalho que chegou ao que tem hoje. A vulnerabilidade pode aumentar com o cuidado excessivo, com a omissão e a dissimulação de uma pessoa com deficiência. Ao percebermos que era impossível educar a humanidade, a saída foi fortalecer sua identidade e deixá-lo viver no meio dos confrontos.

Sempre existirão os olhares piedosos, os comentários piegas de gente que acha que ser mãe de João é um sofrimento, uma cruz. Não me encaixo nesse folhetim e tampouco acho um privilégio ter um filho assim, como alguns acreditam. Não "agradeço a Deus" por ter me mandado o João. Sou mãe de quatro filhos. Cada um é diferente do outro, com características e personalidades diversas. Quando penso na minha família tenho orgulho de ver pessoas de boa índole, conscientes e respeitosas com o outro. Posso dizer que João ajudou na formação dessa consciência. Vê-lo sofrer e se empenhar em vencer obstáculos foi uma constante na infância dos meus outros três filhos e também dos seus primos, filhos das minhas irmãs, que cresceram ligados a ele como irmãos. Conviver com as suas dificuldades, encarar os preconceitos, orgulhar-se dele ajudou a formar essa geração da família. Eles sempre se divertiram com João e seu humor especial.

* * *

Durante a infância de João, fomos reparando que ele não sentia cheiro algum. Fiz vários testes com comidas e perfumes e percebi que ele não diferenciava aromas distintos. Foi quando descobrimos que o nervo olfatório havia sido cortado numa das cirurgias precoces do crânio, realizadas lá no início da sua vida. Um dano sem remédio com o qual ele terá que conviver para sempre. Porém, malandro que era, sabia que em certos lugares as pessoas reclamavam de mau cheiro. Quando via as panelas no fogo dizia "tá um cheiro de queimado!", quando entrava no túnel Rebouças, indo para nossa casa em Laranjeiras, reclamava "que cheiro de gás!". Com os primos, tirava o sapato e ia dizendo que estava cheiro de chulé e abanava as mãozinhas fingindo sentir cheiro de pum para implicar com eles.

É delicado avaliar, e eu jamais fiz questão de conhecer o QI do João. No princípio, tínhamos ansiedade em avaliá-lo. Vai falar? Vai ler? Vai ser independente ou vai depender de nós para sempre? Ninguém tinha como afirmar nada, e eu aprendi a conviver com esses pontos de interrogação. Quando levava João às terapias, na sala de espera eu via coisas tão piores que acabava por me confortar com meu pequeno Cafuso, que pelo menos era tão alegre e bem-humorado.

Retardo é uma palavra hostil que nunca usei, mesmo quando ele era pequeno. Hoje se fala em deficiência intelectual. A desigualdade no seu desempenho intelectual fica evidente em algumas situações. Somos surpreendidos por certas lacunas que aparecem de repente, como o embaraço que ele tem ao fazer contas simples, com números pequenos, quantias redondas que sendo para mais ou para menos, para ele tanto faz. São como obstáculos no seu raciocínio que o impedem de somar ou subtrair quantias simples de um ou dois dígitos. Isso atrapalha sua vida prática, a valorização do dinheiro, troco e quantidades. Por outro lado, ele tem a perfeita capacidade de decorar números de ônibus, trajetos e baldeações, e é a ele que eu recorro quando preciso ensinar alguém a chegar à nossa casa da Gávea, por exemplo, de transporte público.

Por causa da deficiência, conseguimos um passe especial para o João e ele se locomove no Rio e em Petrópolis usando as linhas de ônibus e de metrô. No início, andava só por Petrópolis — minha mãe foi acostumando-o a ir e voltar do colégio sozinho e devagar ele foi ganhando confiança para ir aonde quer que fosse. Essa emancipação foi sendo adquirida com treino e paciência. João ganhou a autonomia que tem hoje graças a essa preparação. Seu passatempo é andar por aí, conhecer lugares diferentes, comer um lanche em São João de Meriti, almoçar no Shopping Nova América, ir à Barra da Tijuca para uma terapia ou outra. Valorizo essa independência e seu mérito, para mim, está diretamente ligado à sua felicidade, e não à nota que posso dar para sua inteligência. Ele domina assuntos que correspondem à sua idade, mas se perde em outros. Prefiro entendê-lo apenas como ele é. Isso também vai contra a tendência de alguns a afirmar que João é perfeitamente normal. Vê-lo de um jeito ou de outro desrespeita sua condição.

Junto com a consciência ecológica e a liberdade sexual, por exemplo, a aceitação das pessoas com deficiência vem sendo uma das grandes lutas da segunda metade do século XX pra cá. Esse mesmo século começou com a eugenia e acabou com Stephen Hawking. A maior parte das síndromes genéticas foi classificada e nomeada a partir dos estudos de geneticistas do século passado que analisavam e dissecavam crianças excepcionais abandonadas em asilos. Hitler acabou com todas as que encontrou pela frente. O programa de eutanásia *Aktion* T4 aniquilou 200 mil pessoas com deficiência em câmaras de gás na Alemanha nazista. Quantas celebridades conhecidas mantiveram os filhos escondidos em casa, ou em instituições, ou jamais saíram em público com eles. O escritor Arthur Miller, mestre do teatro americano, que sempre lutou pelos desfavorecidos e foi contra a Guerra do Vietnã, internou seu filho num asilo em 1966 com apenas quatro dias de vida. O menino foi diagnosticado com síndrome de Down e ficou ali esquecido durante toda a vida dos pais. Imagino a dor e a culpa que um homem com aquela inteligência e sensibilidade deve ter sentido por ter sido incapaz de lidar com a condição do filho.

*O homem elefante*, *Meu pé esquerdo*, *Rain Man*, *A teoria de tudo* e outros filmes falam sobre as dificuldades da vida das pessoas com deficiência. O cinema elucida e emociona. Recentemente assisti a Bradley Cooper no teatro em *O homem elefante*. O ator tinha o sonho de viver o personagem desde que viu pela primeira vez a peça montada em Londres. Ele viveu intensamente a vida do deformado e grotesco Joseph Merrick, que passou de aberração de circo a celebridade na corte da rainha Vitória. A transformação de Bradley em Merrick se dá em cena, sem qualquer prótese ou maquiagem. No final da peça, a gente já não vê a beleza fenomenal de Bradley, mas o olhar triste e puro de Merrick, a angústia da sua condição, a respiração difícil, a fala prejudicada, o andar comprometido. Ele tem consciência da sua deformidade e chega a pedir para viver no meio de cegos, onde ninguém perceberia sua diferença.

O único exemplo antes do nascimento do João que eu tinha de uma pessoa com deficiência que coexistia naturalmente conosco era dentro da minha própria família. Minha tia Olivia criou sua enteada com dedicação e carinho imensos. Sarinha tem paralisia cerebral decorrente de um acidente neurológico no parto, em que a mãe não sobreviveu. Ela veio ao mundo órfã e teve a sorte de a minha tia ter se casado com o seu pai. Sara cresceu no meio das outras crianças da família, caminhando e falando com dificuldade, mas era emotiva e afetuosa. Nós, crianças, não tínhamos muita paciência para ficar esperando ela chegar ao fim da frase, mas a aceitávamos, e a sua presença era um exemplo bom de amor e grandeza.

Quando João nasceu, tinha gente que falava abertamente em acharmos uma instituição para ele viver. Era uma maneira de as pessoas resolverem a minha história afastando-o, isolando-o. Nunca cogitei em levar esses conselhos adiante e, com a ajuda de toda a minha família, sobretudo da avó Memé, João virou a pessoa segura, querida e aceita que é hoje.

Nada é melhor para alguém com deficiência do que o convívio em sociedade. Nada é melhor para a sociedade do que o convívio com as diferenças.

Em 1995, quando João tinha catorze anos, pensei em levá-lo à Disney. Algumas crianças da família da mesma idade já tinham ido, e acreditei que isso seria um bom presente. Não que ele tivesse essa vontade e me pedisse para viajar. Para ele, o Chaves era sem sombra de dúvida mais importante do que o Mickey e, de todos os vídeos que tínhamos em casa, o que ele mais gostava era o dos Trapalhões. Portanto, a intenção da viagem não tinha a ver com a relação dele com o mundo de Walt Disney ou com os Estados Unidos. Era apenas a minha vontade de levá-lo a viajar de avião, se divertir nos brinquedos e passear nos parques com outras crianças.

Ele tinha um grande amigo, o Zezinho. José Francisco era filho dos nossos vizinhos de rua na Gávea. Se dava muito bem com o

João, que já morava em Petrópolis com mamãe e, nas vindas ao Rio, se juntava ao amigo, três anos mais jovem. Passeavam de bicicleta, viam televisão juntos e jogavam vídeo game. Viviam soltos pela nossa rua Caio Mário, que além de sem saída, era fechada por uma cancela como se fosse um condomínio. Brincavam entre as duas casas, jogavam bola e vinham almoçar suados e felizes com a roupa encardida. Era uma boa amizade e no fim do dia eu já esperava a pergunta: "Posso dormir na casa do Zezinho?". E eu deixava, porque Helena e Luiz Fernando, pais de Zezinho, eram nossos amigos e recebiam João com carinho. A casa de Helena ficava no final da mesma rua. Isso dava uns ares de vila do Chaves aos nossos arredores e a rua fechada protegia as brincadeiras dos meninos.

Então convidei Zezinho a viajar com João e Barbara para conhecer os parques da Flórida. Providenciei os passaportes e organizei um programa com carro alugado e dez dias de passeios diversos com o nosso grupinho. Para minha surpresa, o consulado americano me solicitou uma entrevista para o visto do João. Antes do ataque terrorista de Onze de Setembro isso não era nada comum. O controle da imigração era menos rigoroso e a audiência só se dava em casos de pedido de vistos especiais. Os outros passaportes saíram imediatamente, mas o do João não. Logo supus se tratar de preconceito ou receio de alguma doença contagiosa após analisarem sua foto.

No encontro fui arguida minuciosamente sobre a nossa família, as intenções da viagem e o modo de vida que levávamos. A justificativa para a entrevista era a precaução, devido à grande incidência de casos de pais que viajavam com pessoas com deficiência para os Estados Unidos e lá os abandonavam em clínicas ou hospitais contando com a ajuda do Estado. Uma vez constatada a nossa completa intenção de trazê-lo de volta, o visto foi concedido e viajamos tranquilamente.

Na entrada do primeiro parque da Disney, João foi tratado com grande consideração por causa da sua condição física. Ele recebeu um cartão VIP que lhe dava o direito, e a quem mais estivesse junto, de furar as filas dos brinquedos mais concorridos. Um presente que o encheu de orgulho e autoconfiança. Ele era o dono da festa. O cartão dizia: "*Joao Byington and a party of 4*" (João Byington e mais quatro pessoas). Nós éramos a turma do João.

Com esse cartão, perdemos a conta de quantas voltas ele deu em atrações como a do filme E.T., da Metro Goldwyn Mayer. Na entrada do brinquedo era preciso que cada pessoa dissesse seu nome pausadamente, e no caso dele a gravação repetia "Joal" porque não reconhecia o til. Em seguida, cada um de nós se acomodava num banco das bicicletas que deslizavam por cenários iluminados. Ficávamos suspensos no ar e voávamos contra a lua cheia ao som da música de John Williams, culminando com o encontro com o próprio E.T. que dizia "*Goodbye Joal*", "*Goodbye Olivia*"... e todos eram obrigados a descer dos carrinhos para entrar de novo na fila interminável. Menos o Joal, que permanecia ali, dizia o seu nome outra vez e fazia o passeio todo de novo para encontrar o seu amigo E.T. no final.

Os dias de verão eram intermináveis. Nós nos vestíamos com pouca roupa e as crianças se molhavam inteiras nos brinquedos. Chegávamos exaustos dos passeios para dormir no hotel. Às vezes ainda sobrava disposição e tempo para pegarmos uma piscina. Eu estava feliz com a acolhida do pessoal e em momento algum houve qualquer tipo de discriminação, qualquer olhar, qualquer desconforto em relação ao João.

O American Disability Act, conhecido como ADA, tinha sido assinado na Casa Branca cinco anos antes. Em março de 1990, ativistas com deficiência foram até o Capitólio, prédio que abriga o Congresso americano, e subiram as escadas com sacrifício, como símbolo dos obstáculos enfrentados pelas pessoas com deficiência. O ato constitucional foi assinado logo depois da "Subida ao Capitólio", como a ação ficou conhecida, e garante direitos de igualdade às pessoas com deficiência dentro da sociedade americana. Ele valoriza a vida de milhões de cidadãos e serviu de modelo para essa luta em todo o mundo. Um triunfo depois de décadas de luta.

Voltei de lá achando os americanos muito bem resolvidos e tolerantes com as pessoas com deficiência, mas quando comecei a escrever este livro mergulhei em vários textos sobre a causa das pessoas com deficiência nos Estados Unidos e constatei que a luta contra a estigmatização abrange mais capítulos do que um ato constitucional pode abraçar.

Uma vez a revista *Veja Rio* me pediu uma foto com meus filhos para uma matéria sobre férias. É claro que eu levei o João para a sessão de fotos. Meus quatro filhos chegaram bem vestidos e alinhados para o retrato. Quando fui à banca procurar a reportagem, verifiquei que publicaram a foto, porém com João escondido atrás do Gregorio, quase invisível. O editor deve ter achado que o João não poderia aparecer nas páginas da revista. A imagem de uma criança ou adulto com o rosto afetado por uma anormalidade incomoda. E muito.

Os bebês vêm ao mundo como obras dos pais, obras que eles assinam e fazem questão de exibir como "fui eu quem fiz". Temos uma relação de autoria, como se eles fossem esculturas ou obras de arte. Reconhecer neles os avós, os tios, os parentes ilustres é uma constante. Um amigo dizia outro dia que tinha medo de ter um segundo filho pois não sabia se conseguiria reproduzir a perfeição do primeiro. A menina parecia-se com ele, que obviamente queria ter outro bebê assim, a sua cara, à sua semelhança.

Num filho com deficiência isso não acontece, e a relação de individualidade se impõe de cara. No desenvolvimento do João, tudo o que era para acontecer no período demarcado não aconteceu. Ele não levantou a cabeça com três meses, não sentou com seis meses, não andou com um ano e não aprendeu a falar "mamãe". Nada foi como o previsto e marcado nas agendas dos bebês. As conversas entre as mães de filhos "normais" me excluíam totalmente. Eu ficava de fora daquela competição de recordes de bebês que se dá tão comumente. "Meu filho aprendeu a falar cedo", "Andou cedo", "Faz gracinhas que a gente manda", "É a cara do pai", "É a cara da mãe", tudo isso girava fora do meu universo com João. Quem dava as ordens era ele, e quando João sentou, andou e falou, comemoramos cada feito como a tomada de Troia. Não posso negar que minhas expectativas estavam ali e que havia toda a frustração que precisava ser mastigada fora da minha relação com ele.

Tudo ficou mais fácil depois que meus outros filhos nasceram. Há uma compensação. Um filho sem deficiências não substitui o outro com deficiências, mas ajuda a equilibrar essa delicada balança. Numa relação com filhos sem problemas de desenvolvimento, a gente passa o tempo todo vendo resultados. Numa criança como o João tudo passa pelo trabalho, e a originalidade daquela evolução acaba se tornando um laboratório de emoções contraditórias. Há de se valorizar a metade cheia do copo. Por isso, quando encontro pais que têm dúvidas quanto a ter outros filhos depois de terem um com deficiência, insisto para que o façam logo, sem medos. É bom para todos, e o especial será especial para sempre.

A humanidade continua procriando sem parar para pensar que de um momento para o outro pode despencar num lugar desconhecido e frio ao descobrir a má-formação de um filho numa sala de ultrassom. Ou meses depois dar-se conta de que seu bebê engatinha diferente dos outros bebês, ou que não reage ao bater de uma porta, ou que sua estatura não é compatível com a de outras crianças da mesma idade. O resultado da amniocentese pode dar um primeiro alívio na tentativa de fazer parte do milagroso grupo da saúde, mas ninguém está vacinado contra milhões de deficiências que podem aparecer na longa caminhada da vida.

Hoje sinto uma nova e boa onda na humanidade em que pais assumem e falam abertamente sobre seus filhos sindrômicos ou diferentes de alguma forma. Já evoluímos dos anos 80 pra cá, mas ainda há muito que conquistar. As novas leis de inclusão social abrem espaço para o convívio de todas as pessoas, com seus tipos diferentes de inteligência. O empenho envolve políticas públicas com decretos e leis para proteger o indivíduo com deficiência, que deve passar a ser visto pelo seu potencial, suas habilidades e outras inteligências e aptidões.

# O indispensável

Quando João tinha por volta de cinco anos, procurei um médico especialista em mãos no Rio de Janeiro. A primeira parte da tentativa de melhora das mãos tinha sido feita na Argentina, mas outras etapas ainda eram necessárias. O médico tinha boa fama, uma grande referência em cirurgia de mãos no Brasil. Cheguei com João ao consultório já munida de radiografias e de todo o histórico necessário para a consulta. Do outro lado da mesa ouvi o veredicto:

— Seu filho é como uma casa mal projetada. Como se o engenheiro errasse no cálculo de uma coluna. Assim, toda a arquitetura da casa está comprometida: janelas, telhado, paredes, encanamento, tudo está fora do esquadro e um problema leva a outro e mais outro. É assim com o seu João.

Para o médico, a síndrome de Apert era um erro de projeto e, no caso, os arquitetos eram os pais. Passei a mão na minha catástrofe arquitetônica e nunca mais voltei ao consultório do grande medalhão da cirurgia plástica. Não tive como reagir ao discurso preconceituoso e insensível que falava de uma criança como se fosse um prédio. Como se não bastasse, ele nos deu poucas esperanças de melhorar as mãos do João, pois disse que sua sindactilia era muito grave.

Essa imagem tosca criada pelo cirurgião me acompanhou para sempre. Na verdade, ela traduz o efeito da mutação do maldito gene responsável por essa parte da obra. As mutações no *Fibroblast Growth Factor Receptor 2* (FGFR2) causam o crescimento desordenado das células. São mutações dentro de uma proteína, uma ou mais trocas de aminoácidos que provocam essa ordem do fechamento prematuro dos ossos do crânio, das mãos e dos pés, trazendo esse comprometimento na arquitetura. De mutações desse mesmo gene podem acontecer outras síndromes parecidas, como Pfeiffer, Crouzon e Jackson-Weiss.

A síndrome de Apert foi descrita pela primeira vez em 1904 na França pelo pediatra Eugène Apert. As estatísticas variam, mas ela acontece a cada 160 a 200 mil nascimentos, segundo algumas. É uma síndrome rara. Para se ter uma ideia, a frequência da síndrome de Down é de um a cada mil nascimentos. Isso torna mais fácil (se é que algo é fácil nessa jornada) a conduta terapêutica, os prognósticos e a orientação sobre as medidas a serem adotadas. Os primeiros grupos de apoio a portadores da síndrome de Down começaram a existir no começo dos anos 50, na época em que eles ainda eram chamados de mongoloides. Casais apaixonados pelos filhos enfrentaram bravamente as leis da sociedade que praticamente obrigavam os pais a entregá-los a instituições. Graças a esses pioneiros na luta por suas crianças, os portadores da síndrome de Down começaram a ser respeitados, atendidos e acolhidos de forma adequada com terapias e educação apropriada. Quando se fala do nazismo, que exterminou deficientes nas câmaras de gás, todos ficam horrorizados, mas a prática de trancar pessoas com deficiência dentro de instituições desumanas não fica tão longe disso e perdurou no mundo inteiro a até bem pouco tempo.

Na síndrome de Apert, desde o primeiro momento em que ouvimos essa denominação, tivemos que correr atrás de informações básicas, achar médicos e especialistas, buscar soluções para melhorar a qualidade de vida do João. Não encontrávamos outros casos, não tínhamos em quem nos espelhar. A primeira providência, de abrir as suturas do crânio para a descompressão do cérebro, foi anunciada, mas não sabíamos se esse era o percurso correto. O mesmo procedimento é também realizado em outras síndromes, como as de Crouzon e Pfeiffer. O recém-nascido, dependendo do nível de pressão em que o cérebro se encontra, é submetido a essa medida radical na tentativa de não comprometê-lo. Naquele ano de 1981, nunca havíamos visto nada parecido nem conhecíamos ninguém com essas características. Responder a perguntas sobre o João, contar o que ele tinha, requeria uma conversa longa com uma abordagem delicada quanto ao futuro em que questões ficavam em aberto. Essa ignorância nos empurrava por um caminho escuro e solitário.

Os grupos e os sites pelo mundo se multiplicaram com a internet. Há um grupo de WhatsApp em que mães de crianças com Apert, e também adultos e adolescentes afetados pela síndrome, trocam experiências sobre a conduta adotada, as cirurgias e as terapias necessárias. Porém, cada pessoa com Apert se desenvolve de um jeito diferente. Há formas mais brandas — em que mãos e pés são mais fáceis de operar —, a arcada dentária às vezes é menos comprometida, e dependendo de como forem estimulados e cuidados por suas famílias, chegam a bons graus de aprendizado. E há alguns casos de indivíduos com a síndrome que chegaram ao nível superior.

O que é universal em todas essas síndromes é que, sem estímulo — sem as terapias de fala, coordenação e musculatura, sem o empenho em prol de cada uma dessas crianças —, elas têm menos chances de se desenvolver. Fora o amor e a aceitação. Isso é sem dúvida o mais importante e o mais complexo. Em Campinas, recentemente, uma mãe tentou suicídio ao saber que seu filho era portador da síndrome de Apert.

As complicações buco-maxilo-faciais são outro grande desafio na síndrome. Uma lida que começa no nascimento e que parece não ter fim. A tentativa de organizar a arcada dentária do João começou com cirurgias quando ele tinha quatro anos, no consultório da dra. Lucy Dalva Lopes, em São Paulo. Seus dentes eram tão desalinhados que alguns nasciam no meio do céu da boca. Atualmente o tratamento continua sendo uma rotina e o aparelho é ajustado quinzenalmente no consultório da dra. Lidia Protzenko, no Centro do Rio. Para lá convergem casos de portadores de síndromes com as mesmas infindáveis complicações. Na sala de espera do seu consultório na avenida Presidente Vargas temos uma mostra de arcadas ultracomplicadas de crianças que são atendidas por ela, a maior parte das vezes de graça.

Me lembro de João pequenino com os seus primeiros aparelhos. Volta e meia eles desapareciam misteriosamente. Uma vez fomos encontrá-los nos jardins de um prédio em Laranjeiras. Disfarçadamente João tinha isolado o aparelho no caminho da fisioterapia. Quantas lixeiras de lanchonete tive que vasculhar atrás do aparelho descartado. O de hoje, felizmente, é fixo.

Contar minha história implica reviver coisas esquecidas e sacar do fundo do coração sentimentos que nem sempre são bons. Às vezes tenho saudades do João menino, com sua voz fininha e sua inocência que comovia a todos. As bochechas rosadas, a silhueta delgada e o gestual com as mãos, que nunca deixou de lado. Elas se movem na frente do rosto. Ele tinha uma aparência tão frágil que ninguém poderia saber que dentro daquele fiapo de gente morava um ser forte e agarrado à vida. No seu quarto de criança, pendurei na parede um enorme Super-Homem.

Viajo de volta para a idade em que eu tinha mais fibra do que hoje. Sinto a passagem do tempo e a lembrança do esforço e da garra que foram precisos nessa trajetória. Vou trazendo outra vez para a consciência tudo o que João e eu passamos juntos — bisturis, anestesias, curativos, exames em tantos hospitais. Muitos foram os tropeços e as falhas que encaramos nesse roteiro. Me reencontrei com a mocidade nas anotações que fui fazendo pela vida em meus cadernos. Alguns eu jamais tinha tido coragem de reabrir e reler, mas a ideia de narrar essas histórias me empurrou para a revivência de episódios que o tempo se encarregou de encobrir e amenizar com seu poder de curar feridas.

Esse movimento de desencavar memórias para escrever este livro me mobilizou a tal ponto que comecei a fugir dele com as tarefas mais banais. A procrastinação rouba meu olhar que se perde até encontrar uma mancha no tapete que está bem embaixo da minha cadeira. Em alguns instantes, aquele pedaço de tapete toma o papel principal da minha existência, não posso conviver com aquela mancha. Vou buscar um pano e um detergente, uma escova e um balde, e me ponho de joelhos até acabar com ela. Em seguida vou dar comida aos gatos, depois aos cachorros, e quando olho para o relógio o tempo passou, já não dá mais para escrever naquela manhã perdida.

Fui para Nova York sozinha para escrever, longe de todos, em pleno inverno. Passei uma manhã inteira na janela observando o homem do prédio da frente retirar a neve da calçada. Ele vinha com o carrinho removendo a neve, criando atrás de si um tapete escuro no chão de cimento. A neve caía devagar, mas quando ele voltava com a máquina já encontrava tudo branquinho de novo. Eu não conseguia deixar a janela e voltar a escrever, fascinada que estava com aquela trabalheira. Por pouco não desci e me ofereci para ajudá-lo. Em seguida, uma moça do mesmo prédio encontrou seu carro coberto pela neve branquinha e voltou para buscar uma pá enorme. Da minha janela eu observava seu esforço hercúleo de fincar a pá junto das rodas do carro para ir retirando pouco a pouco a neve que se acumulara durante a noite. E assim as horas iam passando e o texto seguia parado na tela do computador.

Em 1998 meu casamento com Edgar se desfez, mudando o rumo das nossas vidas. Fiquei na casa da Gávea com Gregorio, Barbara e Theodora. Eu tinha acabado os shows do CD *A Dama do Encantado, um tributo a Aracy de Almeida* e estava trabalhando na criação de um projeto para o Ministério da Cultura de música gratuita em praças públicas. O projeto, originalmente chamado de Coreto Moderno, visava à itinerância de artistas brasileiros por pequenas cidades do país. Acabei conseguindo emplacá-lo numa rede de shoppings com o nome de Vitrine MPB — realizei mais de trezentos shows como produtora do formato. Era um trabalho puxado, mas agora eu estava no comando do navio, com todos os encargos da casa e dos meninos, não podia largar o timão.

João seguia em Petrópolis, vivendo com minha mãe. A vida sob a guarda carinhosa da avó Memé foi por um longo período de grande ajuda para protegê-lo da desumanidade da cidade grande. Petrópolis acolheu-o por duas décadas, e foi na tranquilidade da vida na serra que João cresceu como um petropolitano e ganhou sua liberdade de ir e vir.

Tivemos a sorte de encontrar o Centro Educacional de Desenvolvimento Integrado, onde João completou sua escolaridade até o primeiro grau. Na turma que se formou, João foi aceito, se integrou e fez amizades. Seu diploma é baseado em frequência, mas para todos nós tem o valor de um doutorado. Isso graças à diretora Valeria Pierroti, que decretou que ele ia entrar para sua escola e soube adequá-lo às tarefas do currículo escolar. João ajudava em tudo o que podia, era convocado para fazer parte das feiras de ciências e chegou a participar de um projeto de ecologia na Ilha Grande — o Projeto Mar. Valeria viajou com uma turma variada para lá e durante alguns dias fizeram estudos de campo que resultaram num livro no qual podemos ver João posando para a foto, orgulhoso, junto ao grupo.

No fim de cada ano, minha irmã Rita fazia um atestado citando as limitações da síndrome e a corajosa diretora se encarregava de passá-lo de ano. Valeria, com determinação e boa vontade, foi pioneira, incluindo João na sua escola bem antes que a nova Lei Brasileira da Inclusão da Pessoa com Deficiência, de julho de 2015, a obrigasse a fazê-lo.

João ia se tornando cada vez mais independente. Ele já lia relativamente bem, escrevia a seu modo e vivia cheio de atividades e tarefas. Numa olimpíada da escola, Miguel, Barbara e eu fomos a Petrópolis para ver João desfilar na abertura. Lá estava ele, orgulhoso, empunhando a bandeira do CEDI na frente da equipe. Emoções tão fortes para nós como vê-lo disputando uma medalha de ouro nas Olimpíadas de verdade.

Nesses anos, João conheceu as garagens e os motoristas, fez amizades pela rodoviária e andou quilômetros e mais quilômetros a bordo de todos os tipos de ônibus que circulam pela cidade. Essas amizades secretas nunca foram trazidas pra dentro de casa, como se elas pertencessem só a ele e àquele mundo criado por essas voltas intermináveis sobre rodas imensas. Que conversas ele terá tido? Que assuntos terá partilhado com os motoristas que conhece pelo nome? Talvez João tenha encontrado aí uma maneira de viver a vida que sonhou. Chegar em casa cansado de ter trabalhado ao volante o dia inteiro, ter mulher e filhos, reclamar da empresa, do salário, planejar os domingos, as folgas e as férias, visitar a família no Norte, ter uma amante talvez, uma outra família, problemas de dinheiro, a carestia das coisas, a educação dos filhos.

Quando eu era pequena, não entendia a frase na placa escrita em cima do para-brisa dianteiro dos ônibus: "Fale ao motorista somente o indispensável". Achava que o "indispensável" devia ser alguém de suma importância e que só ele podia falar com o motorista. Pois João sentou-se sempre ali, no primeiro banco, e conversou, falou de si, ouviu queixas, talvez tenha até inventado histórias, romances, outra família, quem sabe visitou suas casas, conheceu suas esposas e filhos. Mas nunca nos contou. Dos longos passeios só falou dos trajetos e dos engarrafamentos, nunca nos revelou o que viveu como o "indispensável".

A adolescência aflorou mais uma mazela da síndrome: a acne. Os médicos jamais haviam nos alertado para isso, foi preciso que eu pesquisasse na internet para descobrir que a superprodução das glândulas sebáceas e, por consequência, a acne, é um dos comprometimentos da síndrome de Apert. Depois de alguns meses, João estava coberto de espinhas, o que não contribuía em nada para um bom aspecto. O tratamento com o Roacutan, atualmente a droga mais poderosa contra acne, não teria como ser adotado por conta do ressecamento das mucosas que o remédio causa. Isso poderia trazer problemas para as córneas, que já tinham lesões decorrentes da falta de hidratação. Muitas vezes foi preciso que ele tomasse antibiótico para aplacar as furiosas

crises de acne. A pele do João foi ficando com um aspecto feio e marcado. Isso nos deixava ainda mais temerosos em relação ao assunto que viria a ser o centro das nossas preocupações: sua vida afetiva.

Por volta dos doze anos, João começou uma terapia em Petrópolis que o acompanhou pela adolescência e entrou pela idade adulta. Luiz Henrique de Sá, o psicólogo, mantinha conversas com ele em seu consultório e tentava ajudá-lo no seu desenvolvimento social e emocional. Esses anos de terapia foram de grande valor para todos nós. Em algumas reuniões com minha mãe e Miguel, discutíamos a chegada da adolescência, nossa preocupação com a sexualidade e suas decorrências. Como todo menino da sua idade, João começou a pensar nas meninas e, frequentemente, se trancava no banheiro ou tinha o que os americanos chamam de *wet dreams*. Seus primos já tinham namoradas, e eu podia notar seu olhar comprido nos jovens casais. Minha alma se contorcia de tristeza quando eu imaginava o que se passava no seu coraçãozinho. Com o tempo, passei a observar João se aproximando das mulheres e, ainda que não fosse inconveniente, ostentosamente se encostava nelas, chegava perto demais. Às vezes era preciso pedir a ele para não fazer isso. Mas como ajudar de forma prática? Chegamos a pensar em elaborar algum arranjo com uma profissional, mas o caso não era só o sexo. Era o afeto. A prova maior foi um dia em que chegou uma conta de celular altíssima. Descobri que ele tinha feito amizade com uma menina — e não nos dizia quem e nem como era ela. Conversava horas a fio pelo telefone, mas sem revelar a sua condição. Mentia a idade e se fazia passar por um rapaz sem deficiência. Vivia o sonho de ser uma pessoa comum de flertar com alguém, e assim ia inventando um romance. Fomos obrigados a convencê-lo a não fazer isso, pois seria arriscado expô-lo ao inevitável encontro.

Naquela altura, tínhamos conseguido um trabalho para o João no Parque Lage, numa ONG chamada Renascer. Era confortante saber que havia um lugar onde ele pudesse ser útil, e durante um período ele se deu muito bem trabalhando por lá.

Minha irmã Rita frequentava um cabeleireiro perto de sua casa, no Jardim Botânico, quando conheceu uma moça que se parecia com João. A filha do dono do salão tinha por volta de quarenta anos, por coincidência a mesma idade que eu tinha na época. Ela estudava computação, fazia a contabilidade do salão e ajudava o pai na administração do negócio. Rita logo reconheceu na moça a síndrome de Apert e comentou com uma manicure que seu sobrinho de 21 anos tinha a mesma síndrome que ela.

Sonia, neta de portugueses, era órfã de mãe e filha única de seu Antônio. Quando tomou conhecimento da existência do João, ficou ansiosa por conhecê-lo. Com as mãos mais funcionais que as dele, ela mantinha as unhas bem-feitas e a vaidade em dia com cabelos bem cortados e mechas. Sonia passava sua vida ali, ao lado do pai, fazendo pagamentos, e era bem mais integrada e articulada que o nosso João.

Não demorou para Sonia abordar Rita querendo saber mais sobre seu eventual consorte. Rita contou com entusiasmo que o sobrinho trabalhava durante algumas tardes no Parque Lage, num projeto comunitário, mas não deu maiores detalhes nem promoveu nenhum contato entre os dois. Por conta própria, Sonia partiu para o encontro e foi bater à porta do projeto já com a certeza de que tinha encontrado seu par.

— Por acaso vocês conhecem alguém aí assim feito eu?

A partir de então, João e Sonia começaram a viver o que foi tão bem apresentado por Andrew Solomon no livro *Longe da árvore*.

Os americanos dizem que "uma maçã nunca cai longe da árvore". Nossa versão para esse ditado seria: "Filho de peixe peixinho é". Para escrever o livro, centenas de pessoas com casos que contradizem essa premissa foram entrevistadas pelo autor. Não só de famílias de pessoas com deficiências, mas casos em que o indivíduo não sai aos seus e precisa buscar semelhantes fora da família, criando o que Solomon chama de "identidades horizontais".

Depois de ler esse livro, achei que não precisava mais escrever uma linha sobre a minha história. Tudo já havia sido dito pelo ensaísta e escritor com habilidade, delicadeza e estilo. Depoimentos sinceros e despudorados, casos bem mais desconcertantes ou graves do que o do meu filho foram analisados dentro da dinâmica familiar de cada um. Foi como escutar o concerto para clarinete de Mozart e concluir que nada mais deveria ser composto. Esse tratado sobre as diferenças, com quase mil páginas, ensina sobre a própria vida, sobre como lidar com a diversidade humana, como fazer parte desse universo rico, com tantas histórias semelhantes e plenas de amor.

Para Solomon, pessoas longe da árvore devem criar grupos de identificação a partir de suas próprias necessidades. Quando Sonia encontra João, portador da mesma síndrome que ela, reconhece sua semelhança e a possibilidade de compartilhar suas experiências. Com esse encontro ela tem esperança de formar um pequeno grupo, afirmando assim sua identidade tão distinta da que sempre esteve à sua volta.

Naquela ocasião, Sonia pediu para Rita que entregasse quatro cartas ao João. Pedi autorização a ela para reproduzir aqui trechos dessas cartas, e ela me disse que sim, mas que, por favor, eu corrigisse algum erro de português que pudesse haver. Contou também que se inspirou em letras de músicas do Roberto Carlos e que passou dias escrevendo e diagramando as cartas no computador.

*Eu quero apenas...*
*... conhecer você*
*... ser sua amiga*
*... saber um pouco mais de você*
*... saber como você é*
*... ter um amigo para conversar.*

*Permissão*
*Deixa-me ser a luz dos seus olhos*
*O caminho dos seus caminhos*
*O sol que te iluminará todos os dias.*

*Se...*
*... você deixasse eu ficar perto de você*
*... você soubesse o quanto eu posso te ajudar a vencer o seu problema*
*... você soubesse quantos conselhos eu posso te dar a respeito do nosso problema*
*... depois disso tudo você quiser ser meu amigo, eu te receberei de braços abertos.*

Depois das cartas, todos nós insistimos para que ele fosse encontrá-la. Rita habilmente tratou de juntar os dois, convocou os primos para descontrair e o gelo foi quebrado num restaurante no Jardim Botânico.

João e Sonia se encontraram outras vezes nos fins de semana seguintes, mas a empatia não se deu imediatamente. Ele relutava em procurá-la outra vez. Talvez ainda estivesse preso a um padrão estético e ao sonho adolescente de namorar Luana Piovani, a estrela de sua geração. Talvez estivesse temeroso do desconhecido ou quem sabe apenas tímido com a nova relação.

Sonia, apesar da diferença de idade, era incrivelmente parecida com ele. Na maneira de falar, nos trejeitos e especialmente no gosto. Os dois se vestiam com o mesmo estilo. Camiseta para dentro da calça jeans com o cinto apertado na cintura e tênis. Geralmente na camiseta dizeres como "Fui a São Lourenço", "I Love NY" ou "Lembrança de Salvador". Foi indo a shows de Elba Ramalho e do cantor Jorge Aragão que os dois começaram a namorar. Depois das primeiras saídas, vieram as excursões para o Carnaval em Porto Seguro, férias em São Lourenço, e a vida social do casal ficou intensíssima. Com o tempo, passaram a almoçar no Iate Clube, a ir aos cinemas e aos shoppings do Rio. Ambos nunca beberam, e nas festas de família se isolavam, entretidos em conversas. Falavam pelo telefone várias vezes ao dia e enlouqueciam minha mãe com as altas contas de celular até fazermos um plano ilimitado para que esse prazer pudesse ser aproveitado plenamente e sem culpa. Nas conversas, casos do cotidiano, problemas determinados sobre horários e combinações na agenda, detalhes sobre as viagens e as doenças na família. As confabulações intermináveis giravam em torno da festa anual de santo Antônio e das comemorações na academia de dança que ambos frequentavam.

Minha mãe recebia Sonia em seu apartamento em Copacabana para passar os fins de semana. Com o consentimento do pai dela, providenciamos uma cama de casal, e os dois passaram a dormir juntos. Memé, depois de quase dez anos viúva e com a vida inteiramente voltada para o neto, teve um reencontro amoroso e se casou outra vez com seu segundo marido. Com um apartamento no Rio e a casa em Petrópolis, vivia entre lá e cá com Eliel e João, que namorava Sonia nos fins de semana e trabalhava no Projeto Renascer dois dias na semana. Eu também estava feliz. Namorava o português João Nuno Martins e viajava frequentemente para encontrá-lo em Lisboa. Ele foi o produtor de *A fala da paixão*, show em que Egberto Gismonti e eu nos encontramos no palco para cantar seu repertório com letras de Geraldo Carneiro. Os irmãos iam crescendo, Gregorio já trabalhando em teatro, Barbara cursando uma universidade em Paris e Theodora entrando na adolescência. Foi a época em que voltei a compor e a tocar violão, gravei um CD com composições minhas em parceria com o letrista e escritor português Tiago Torres da Silva e criei um grande círculo de amizades em Portugal. Estive bem afastada do João nesse período. Nos encontrávamos em raros fins de semana e nas produções de comemorações que fazíamos juntos. Aos 25 anos ele tinha virado mais filho da minha mãe do que meu. Miguel se casou e teve mais dois filhos, Ana e Manuel. João hoje tem cinco irmãos de quem se orgulha e ama cada um deles.

Nossa casa é a sede do clã. Todos os aniversários e encontros de família se dão na matriz da Gávea. Fazemos grandes produções para comemorar Natal, Páscoa e todos os aniversários e casamentos da família. Junto comigo João participa das compras, ajuda na arrumação de móveis e se diverte no meio da produção. Essa disponibilidade e ânimo para ajudar apareceram desde cedo na vida dele.

No Projeto Renascer era essencialmente isso que ele fazia. A dra. Vera Cordeiro, diretora e idealizadora da ONG que hoje se chama Saúde Criança, para nossa alegria abraçou o João incluindo-o no seu quadro de voluntários. Meu filho ajudava aqui e ali, indo ao Centro fazer pagamentos ou buscando doações nas casas das pessoas. Havia uma mulher, num subúrbio distante, que recebia ajuda mensal. Ela vivia sozinha com as crianças e, numa ocasião em que estava doente, não foi até o Parque Lage buscar a cesta básica que a ONG lhe fornecia. A pobre moça estava sem comida e a kombi do projeto só ia poder fazer a entrega na segunda-feira. Era uma sexta-feira, e João se prontificou a levar a ajuda de ônibus. No caminho caiu um temporal que parou o trânsito da cidade. Ele demorou até chegar ao seu destino devido ao tráfico lento e entregou a sacola pesada com arroz, feijão, fubá, farinha láctea, leite em pó, açúcar e outros mantimentos. Voltou para casa tarde da noite, tendo cumprido a sua missão. João não nos contou a façanha, ficamos sabendo disso depois por uma moça que trabalhava com ele.

Infelizmente, um dia, João parou de ir ao trabalho. Tampouco se despediu das pessoas de lá, e, o que é pior, com medo da nossa reação continuou dizendo que ia trabalhar enquanto andava de ônibus pela cidade. Descobrimos meses depois que ele não aparecia no trabalho há tempos. Questionado sobre a verdade dos fatos, João disse que ficava sentado lá sem ter o que fazer e se chateou. Fiquei muito brava por ele ter mentido esse tempo todo e sobretudo preocupada. Foi assustador constatar que durante tanto tempo ele sustentou a farsa. A princípio, sem saber como agir, pensei em castigos e punições, mas pouco a pouco entendi que isso não deveria ser encarado assim. Talvez a mentira para o João não tenha o mesmo peso que tem para mim. Talvez mentir para ele seja apenas uma maneira de vivenciar o que ele queria que tivesse realmente acontecido. E assim era. Em vez de ir trabalhar e se chatear com um cotidiano de que ele não estava gostando, passou a inventar esse cotidiano e a viver uma falsa realidade. Mas e a segurança? Para onde de fato ele ia? Será que dentro dessa fantasia alguém andava se aproveitando da sua inocência? Será que ele se encontrava com alguém? Deixo essas conjecturas de lado para armar o próximo passo. Tratar de fazê-lo entender que corre perigos, que precisa dar satisfação dos seus atos. Minha mãe vivia com o celular pendurado numa bolsinha a tiracolo e o obrigava a ligar para ela durante todo o dia. Mas com a facilidade que o João tem para inventar histórias, isso nunca impediu as suas travessuras.

O trabalho seguinte que conseguimos para ele foi como assistente de direção na montagem do *Peter Pan*, de Sura Berditchevsky. O elenco reunia cinquenta meninos e meninas com idades variadas. Entre eles estava Gregorio que namorava Natasha, filha de Sura, e mais um bando de malucos que a levavam à loucura com atrasos e bagunças. Durante o período de ensaios era impossível controlar os horários e todos chegavam atrasados, prejudicando a ordem do trabalho. A diretora então chamou os cinquenta integrantes e deu um sermão sobre a importância de cumprir horários, sobre disciplina e ordem. João pediu a palavra e, sem se acanhar diante daquele grupo enorme, falou:

– Tenho uma ideia. Vamos fazer uma lista na porta. Cada pessoa que chegar tem que escrever o seu nome. Os que chegarem na hora assinam com a caneta azul, e os que chegarem atrasados, com a caneta vermelha.

Nunca soubemos de onde ele tirou aquilo, mas a partir daquele dia, meninos e meninas passaram a cumprir o horário e imploravam ao João para não usar a caneta vermelha por cinco minutos de atraso. Ele era implacável com a sua lista.

A peça estreou no teatro Villa-Lobos, em Copacabana, e ficou vários meses em cartaz. Durante a longa temporada, ele era o primeiro a chegar ao teatro nos fins de semana. Tinha a chave dos camarins, recebia o gelo-seco da produção e abria as portas, desempenhando seu papel com concentração e responsabilidade.

Na mesma época, fazia dança de salão todas as sextas-feiras. Descia a serra de Petrópolis com minha mãe para ter aulas na academia onde Sonia já era veterana. Por volta de 2005, o bailado tinha virado o centro da vida do casal, e os preparativos e ensaios para as festas e aniversários eram feitos com grande antecedência. Passamos essas datas dentro de um filme de Almodóvar, onde senhoras maquiadas com perucas e penteados caprichados deslizavam nos braços dos dançarinos virtuosos que ensinavam na academia. Lá João aprendeu a dar seus primeiros passinhos. Dois pra lá, dois pra cá, não mais que isso.

A academia do professor Marquinhos fica num segundo andar de Copacabana, e as festas eram dedicadas aos aniversariantes do mês. Quando chegava março, João fazia a sua lista de convidados. Houve uma vez em que ele não me convocou, elegendo só a família do Miguel para o evento. A gente não sabia quais eram os critérios da sua lista, mas obedecíamos. A sala iluminada por luz fluorescente branca e decorada com dezenas de troféus de dança do professor tinha mesas e cadeiras de PVC onde se acomodavam os convidados que rodeavam a pista de dança. Durante a festa eram feitas as apresentações dos números ensaiados pelos integrantes da academia. Pessoas simples, em busca de companhia e diversão, sem diferenças de idade, passeando por todos os estilos. Forró, suingue, valsa, bolero, samba-canção. E lá iam João e Sonia, passinho pra lá, passinho pra cá, não importava o ritmo da música. O professor, de microfone na mão, anunciava cerimoniosamente as celebridades presentes. Bianca, minha irmã, atriz, posava para fotos com todos os frequentadores. O *gran finale* era a apresentação do número de dança do casal João e Sonia, ensaiado meses antes especialmente para a ocasião. A comemoração culminava com o ritual do bolo imenso que era repartido pelo aniversariante. De acordo com o protocolo, o primeiro pedaço era dedicado à sua *partner*, mas preocupado em agradar a todos, João fazia a distribuição até o último dos presentes e o aniversário terminava com ele feliz e satisfeito.

Quando João completou trinta anos, preparei uma festa enorme na nossa casa na Gávea. A data nos enchia de orgulho, vontade de comemorar. Fui elaborando desde o desenho do convite até todos os outros detalhes, e organizando a homenagem que para nós não era só mais um aniversário, era uma louvação às glórias do nosso herói nas suas três décadas de vida. A cada passo me percebia comovida com esses trinta anos. Tão diferentes de todos, sem casamento, sem filhos, sem uma profissão, mas com vitórias e troféus em outros campos de batalha. Juntei nossa família e seus poucos amigos para festejarmos a data com pompa e circunstância, garçons, champanhe e DJ. João estava animado e visivelmente orgulhoso por ser o centro das atenções.

Chegou o dia da festa, e o jardim coberto por um toldo recebia os convidados da família e os amigos selecionados pelo aniversariante, que circulava agitado de um lado para outro com a namorada. Cochichava com o DJ e com os garçons, parecia estar articulando alguma coisa. A certa altura, João veio me participar que estava de fato preparando uma surpresa, que eu ficasse atenta. Foi então, depois de servido o jantar, que ele pediu para reunirmos todos os convidados na sala grande e anunciou que ia fazer um número de dança. O DJ atacou "New York, New York", e o casal dançou a coreografia ensaiada, sob forte emoção de todos nós.

Em 2011, o celular do João caducou. Ele precisava de um novo, mas as teclas grandes do aparelho velho eram fáceis de enxergar e adequadas a seus dedos. Fomos a uma loja tentar encontrar um modelo similar que tivesse os números de um bom tamanho de um jeito que ele conseguisse manejar o teclado. Encontramos aparelhos com números menores e pouco espaço entre eles, e isso quando o mercado ainda não tinha sido invadido pelos smartphones. Experimentamos todos os telefones da loja e o único que reunia todas as qualidades imprescindíveis era o iPhone. Deu-se um caso de amor à primeira vista.

Em poucas horas, sozinho, João foi encontrando uma forma de teclar com o dedo mindinho, de mandar mensagens, baixar aplicativos, inserir nomes e adicionar fotos. Com o olho direito quase encostado na tela, em pouco tempo ele já podia manejar a agenda, se localizar no mapa e tirar fotos.

Com o novo aparelho e a entrada no Facebook, João deu início a uma nova maneira de se relacionar com o mundo. A possibilidade de conversar com meninas que não conhecia, enviar pedidos de amizade e ser aceito com um clique foram a passagem para um universo de novas perspectivas. Além de reencontrar pessoas que passaram pela sua vida, João passou a ter amigas virtuais com quem tinha conversas intermináveis. Sua redação evoluiu rapidamente, mais do que em muitos anos de escola.

Porém, como supervisora da sua conta, já tive que interceder e bloquear pessoas mais de uma vez. Três meninas fizeram comentários desagradáveis na sua página, caçoando do seu aspecto físico, e foi preciso que eu apagasse e bloqueasse as imbecis. Outras se aproveitaram da sua ingenuidade para investigar sobre a vida do irmão Gregorio, que já tinha se tornado um ator de sucesso. Houve também casos de moças que pediram crédito nos celulares, passagens aéreas, garotas com fuzis e pistolas na foto de perfil, e eu precisei conversar com João e fazer uma limpa na sua lista de amigas virtuais.

Sua atuação no Facebook e seus posts são louváveis, demonstram autoconfiança e a sua implacável vocação para a felicidade. Quando abrimos a página, lá está ele, fotografado de pé, recostado numa varanda: "Jantando no Iate Clube solteiro sábado a noite e mas tarde um forro zinho [sic]".

Logo aparece um monte de curtidas de todos os que conhecem a sua história e entendem que essa frase, escrita desse jeito, é a coisa mais poética e comovente do mundo. João faz selfies e comentários políticos, fala do trânsito e reclama do calor com uma segurança e autoestima invejáveis. Não acho que ele aja assim por não ter a consciência de ter deficiências ou por ter dado a volta por cima. Acho que é simplesmente por ter crescido assim, por ter vindo ao mundo com essa bondade enorme no seu coração simples, olhando as pessoas de outro patamar.

O namoro ficou para trás a partir dessa nova era. João se fartou das festas da academia em Copacabana e já não queria mais ir às aulas. A facilidade de encontrar novas amizades no Facebook e de fazer contato com outras pessoas contrastava com as enormes dificuldades de encontrar a namorada. Sonia tinha perdido o pai e andava ocupada com o trabalho no salão, deixando pouco espaço para os encontros com João. Ficávamos tristes em vê-lo vagar sozinho nos fins de semana, sem programa, sem companhia, e todos sonhávamos com uma nova parceira.

Em janeiro de 2009 reencontrei um amigo querido que não via há tempos, o diretor Daniel Filho. Tínhamos convivido outrora, quando namorei Marcos Paulo, antes de me casar com Miguel. Daniel era diretor-geral da TV Globo e vivia cercado de jovens, promovendo reuniões animadas em seu apartamento no Leblon.

Era o tempo de *Dancin' Days*, e Sônia Braga, Joana Fomm, Denis Carvalho, Guto Graça Melo, Euclides Marinho, Domingos de Oliveira, Luís Carlos Maciel faziam parte do elenco de intelectuais e artistas que varavam noites em volta do bar coberto de espelhos do apartamento de Daniel na Humberto de Campos.

Três décadas se passaram. Estava solteira e fazia meu show solo *A vida é perto*. Eu e meu violão. Numa noite de verão, saí de casa quase arrastada por minha amiga Hélène. É que tinha me acidentado dançando na festa de casamento dos meus sobrinhos Joaquim e Silvia, produzida por mim nos jardins da nossa casa na Gávea, e estava com o pé imobilizado. De férias compulsórias para me recuperar da fratura, caminhava ajudada por muletas. Dava trabalho sair de casa, mas Hélène insistiu para irmos jantar e me enfiou dentro do seu carro.

Já no restaurante Garcia Rodrigues, no Leblon, avistei Daniel entrando sozinho, de chinelo e bermudas. Carregava uma sacolinha para levar seu jantar. Fizemos uma grande festa ao nos vermos e logo ele foi anunciando que tinha se divorciado e estava morando num apartamento pequenino ali perto. Tinha o ar praiano e relaxado de um carioca comum do Leblon quando falou sinceramente:

– Meu pai morreu com 102 anos, minha mãe tem 97. Fiz as contas, estou com 71, ainda dá pra ser feliz.

Entendi o sinal para estendermos aquela conversa sobre felicidade e projetos de vida. Mandei para ele o DVD do *A vida é perto*, que era como um resumo de tudo o que tinha acontecido comigo até ali. O texto do show, escrito por mim e entremeado por músicas, contava trechos da minha trajetória e a plateia assistia a tudo como se tivesse sido convidada para uma reunião na sala da minha casa. João trabalhava de assistente e o público, depois de ouvir algumas referências a ele durante o show, encontrava-o vendendo CDs do lado de fora.

Daniel e eu nos casamos, e eu tratei de ajudá-lo a se mudar, reorganizar a vida e integrá-lo à minha família, o que não foi nada complicado. A começar pelo João, todos se atraíram por sua vasta cultura cinematográfica, sua paixão pelo trabalho, seu carisma, sua alma doce, sensível e generosa, tão diferente do que todos os que não o conhecem julgam.

Daniel abraçou João como um filho e convidou-o a fazer parte da equipe do filme *Confissões de adolescente*. Imaginamos que o set seria o lugar ideal para ele desenvolver suas aptidões, ajudando na produção, providenciando coisas, pensando na logística dos transportes, horários, enfim, trabalhar de verdade.

Foi então que ele viveu sua primeira experiência no cinema. Um imenso grupo de gente em ação, idas e vindas de van — todos os ingredientes que João mais preza. Cinema é uma engrenagem rica e democrática em que todas as contribuições são valorizadas. A equipe recebeu-o com naturalidade, as meninas do filme foram cordiais e gentis. João ia para o aeroporto com uma placa na mão esperar gente, trazia e levava coisas de um lado para outro e ia exercendo funções que lhe eram atribuídas com carinho. O produtor do filme, Angelo Gastal, orientava João e proibiu que ele se referisse a mim como "mamãe". No set eu teria que ser simplesmente Olivia, o que fazia dele um peão como qualquer outro. Eu aparecia pouco, estava ocupada fazendo a trilha do filme, mas tinha gosto de ir lá para vê-lo com um rádio pendurado no cinto e ares de grande preocupação. Quem chegasse, veria um atribulado João concentrado em suas tarefas.

Seu primo, Miguel, trabalhava como câmera, e um dia, numa cena dentro do estúdio, João foi escalado para não deixar ninguém passar pela porta. Ia ser rodada uma cena de nudez, e Daniel não queria a presença de ninguém, além da equipe, no estúdio.

Quando recebe uma missão, João cumpre-a com rigor. Miguel havia saído para pegar alguma coisa e vinha voltando apressado para o trabalho dentro do estúdio quando foi barrado pelo primo.

— Aqui você não entra.

— Mas João, eu estou na cena, trabalhando, sou câmera!

— Negativo. Aqui ninguém passa.

E Miguel teve que chamar alguém pra convencer João a permitir sua entrada.

Se o mundo não se importasse tanto com as aparências, se as pessoas pudessem enxergar além do aspecto físico, se se permitissem um segundo olhar mais tolerante sobre as pessoas, João sempre teria trabalho. Mas isso não acontece. A Lei de Cotas tornou obrigatório que empresas com cem ou mais empregados preencham uma parcela de seus cargos com pessoas com deficiência. Sinceramente ainda não consegui descobrir quem cumpre essa lei ou, se cumpre, onde estão essas pessoas. Procuramos a FIRJAN (Federação das Indústrias do Estado do Rio de Janeiro) e João foi entrevistado no Departamento de Recrutamento e Seleção. Em mais de sete meses nunca nos deram um telefonema nem um e-mail sequer que justificasse o silêncio e a falta de resposta. João me pergunta se eu tenho algum sinal deles e eu não tenho nada a dizer. Me transporto para aquele dia em que choramos juntos na porta da escola de Botafogo.

Quando estou com João, ainda me surpreendo com os olhares nas ruas e tenho que me lembrar de como ele é visto pelos outros. Por vezes tenho essa consciência e antecipo a angústia de saber que ele vai ser notado de um jeito ou de outro. Crianças geralmente reagem de forma inesperada. São protagonistas das situações em que temo o que virá pela frente e minha ansiedade me leva imediatamente a começar uma conversa com João sobre assuntos que o interessem para que ele não note que está provocando uma comoção ao seu redor. Mas os pimpolhos frequentemente atacam de forma tão direta — e inocente — que desmontam a gente. É natural que uma criança queira saber por que ele tem um rosto e, principalmente, as mãos tão diferentes. Isso instiga sua curiosidade e nos põe em situações delicadas.

Uma vez um primo disse:

— Eu não quero que ele pegue no meu brinquedo com aquela mãozinha.

E eu argumentei que aquela mãozinha era a única que ele tinha e que se não pegasse com ela não teria outra e não poderia brincar. E o menino nunca mais falou no assunto.

Crianças incorporam com facilidade o contato com as deficiências e gostam de João. Sinto que até curtem conhecer um cara tão diferente. Respondi a um inquérito da Lys, neta do Daniel, quando ela tinha sete anos, sobre o histórico de João. Ela é inteligente e curiosa e não se contentou em saber que ele tinha nascido com uma síndrome. Queria detalhes de cada operação e o que ele pensava e sentia. Chegou a me perguntar se eu sabia se ele sabia que era diferente. Coisas que não são fáceis de explicar e que eu não tive como responder.

Se ele sabe que é diferente? Claro que sabe, mas até que ponto? Será que ele passou a se orgulhar por ser diferente? Às vezes eu me pego tendo orgulho de estar do seu lado e, se alguma vez tive certa vergonha, acho que ela nunca foi forte o bastante para eu perceber que a sentia.

Reconheço que às vezes tenho preguiça de lidar com interrogatórios. Ao pressentir um olhar e uma possível pergunta, penso que seria melhor ter um dispositivo que fizesse o curioso desaparecer antes de abrir a boca. Salas de espera de médicos são os cenários ideais. A falta de assunto é excelente motivo para estimular essas conversas.

Basicamente, João não gosta muito de se cuidar. Não posso me botar dentro dele para saber o que vê quando se olha no espelho. Não posso saber se ele gosta de se ver ou se quando se vê julga a sua aparência ou pretende melhorá-la. As fotos postadas por ele mesmo, tiradas em close, mostram uma pessoa segura de si e pronta a se apresentar do jeito que é. Quando chama pessoas que não conhece para um bate-papo no Facebook, não deixa de mandar uma selfie mal tirada pelo seu telefone. Isso revela o quanto ele está bem com sua aparência. Ele é autossuficiente: toma banho, se veste, faz a barba, a contragosto, mas sabe que todos nós gostamos de vê-lo arrumado e barbeado. Ele se cuida para agradar aos outros, não a si mesmo. Isso é a vaidade, afinal, pensar em atrair outras pessoas. Mas no seu caso não sei se ele pensa em criar uma imagem para si ou trabalhar essa aparência. Não vejo muita consciência da sua estética particular. Não acho que hoje em dia ele se importe realmente em ter, por exemplo, as mãos diferentes. Falávamos outro dia sobre novos métodos de cirurgia em Boston para mãos com sindactilia. João ouviu quieto, não fez perguntas. Algumas horas mais tarde ele me perguntou se eu iria consultar esse médico fora do Brasil. Conversamos sobre a possibilidade de novas cirurgias em Campinas ou no exterior. Enquanto isso, ele mexia as mãos e eu o observava. Falei em tentar separar ao menos mais um dedo, mas ele não mostrou nenhum entusiasmo e só ficou animado mesmo com a possibilidade de ir a Boston passear.

Uma cirurgia para João vem com todas as memórias dolorosas, e, quando se fala no assunto, a mobilização dentro de nós dois é parecida. Vivemos recentemente um episódio que nos trouxe essa lembrança implacável. Fomos ao laboratório colher sangue para uma série de exames de rotina. Havia anos que João não precisava tirar sangue. Saímos de casa cedo, cumprindo o jejum necessário. Na recepção, as atendentes se dirigiram a mim. Eu sempre insisto que falem diretamente com ele porque as pessoas partem do princípio de que ele não responde por si.

Entramos no boxe da coleta e eu avisei ao enfermeiro que suas veias eram finas demais e, por isso, ruins de serem puncionadas. Daí em diante começou uma grande carnificina com agulhas que entravam e saíam sem encontrar a veia nos bracinhos delgados de pele tão fina. João, bem-humorado, sugeriu que chamassem uma moça bonita. Todos riram, mas eu estava prestes a derramar um rio pelos olhos, segurava um choro que podia começar e não parar nunca mais. E chamaram uma moça e depois outra até que ele perdeu o humor e gritou de um jeito tão comovente que me deixou pronta a desistir do exame. Um novo enfermeiro foi trazido e conseguiu com jeito fazer a agulha buscar numa veia mais profunda o material para o laboratório. João saiu de lá com vários furos e pequenos band-aids. O choro engolido por nós dois foi dissolvido num merecido café da manhã.

Esses momentos me lembram o que é operar João. Não só pela cirurgia em si, mas por tudo o que envolve: o pré e o pós-operatório, muita dor, além de reabrir baús de outros tempos. Cirurgias ainda não fazem mágica, como eu sempre sonhei, e nem podem ajudá-lo a viver melhor nesse momento. A verdadeira ajuda é uma dose exagerada de cuidado e amor. A isso ele responde imediatamente — sem precisarmos buscar veia alguma para furar.

De modo geral, João hoje tem uma saúde de ferro. Uma disposição vigorosa para viver dentro de um corpinho necessitado de ajuda. Vivemos esse paradoxo desde que ele nasceu. A cada uma das incontáveis cirurgias pelas quais passou, os médicos louvaram sua energia positiva com recuperações batendo recorde nas UTIs. Seu coração valente sempre esteve acima da média e seus exames são como os de um atleta.

Porém, os cuidados minuciosos com ele serão diários e para sempre. Nossa maior preocupação hoje é com seus olhos. A exoftalmia (olhos saltados) levou ao ressecamento da córnea. As cirurgias melhoraram consideravelmente a posição dos olhos, mas outros fatores continuaram a prejudicar a lubrificação da córnea. O tratamento para isso é um cuidado perseverante e diário. Todas as manhãs e noites João segue o ritual de esquentar compressas no micro-ondas para aquecer os olhos por alguns minutos e depois lavá-los com produtos especiais. Em seguida, colírios variados acompanham o dia. E aí começa o problema. Seria necessário que ele pingasse gotas lubrificantes nos olhos de duas em duas horas. Porém, ele não pinga. Mas jura que pingou. Mesmo sem estar com o colírio por perto, mesmo tendo deixado o colírio em casa.

— Pingou o colírio, João?

— Pinguei.

E todas as vezes que vamos ao oftalmologista é repetida a ladainha sobre as lesões na córnea, que aumentam a cada consulta. Fala-se do risco de ele perder a visão. João ouve, eu dramatizo, digo que ele vai ter que usar um cachorro para guiá-lo, digo que não vai mais poder entrar no Facebook, nem ver as meninas bonitas, nem teclar no iPhone. Ele faz que entende para dali a pouco esquecer os colírios em casa e cabular o tratamento. Já tentamos de tudo. Uma vez pedi a todos os parentes que lhe mandassem mensagens de texto de hora em hora lembrando o colírio. Botei alarmes no telefone. Encarregamos a diarista de vigiar o horário num esforço contínuo. A visão do olho esquerdo já praticamente se foi. A ameaça é perder a outra córnea.

A medicina avançou bastante nesses 35 anos de vida do João. Quando ele nasceu sonhávamos que no futuro os bebês com más-formações fossem tratados com menos sofrimento. As técnicas mais modernas poupam as crianças de algumas cirurgias e programam uma série de procedimentos em estágios, de acordo com a gravidade. Mas nos grupos de Facebook e WhatsApp ainda encontro mães de partes distantes do Brasil com crianças de mais de dez anos que nunca tiveram acesso ao tratamento imprescindível.

A Sobrapar (Sociedade Brasileira de Pesquisa e Assistência para Reabilitação Craniofacial), em Campinas, recebe grande parte dos casos de anomalias craniofaciais. O hospital filantrópico opera hoje cerca de 1200 crianças por ano. João nunca foi operado lá, e sim no hospital da Unicamp, em Barão Geraldo. Na Sobrapar, instituição erguida em 1990, o dr. Cássio atendia a população carente. Depois do seu falecimento, em 2005, seus filhos Cesar e Cássio Eduardo, que seguiram seus passos na medicina, continuaram a obra exemplar. O trabalho desses médicos e terapeutas dá alguma chance e esperança aos afetados por síndromes de se integrar na sociedade.

Um simples rosto, mãos funcionais, a possibilidade de falar claramente com a reconstrução do palato, são aquisições que podem mudar uma vida inteira para melhor. O trabalho beneficente da Sobrapar é precioso, pois dá uma chance aos pais que não teriam condição de proporcionar inclusão e dignidade à vida dos seus bebês.

Recentemente, João e eu fomos conhecer o hospital fundado por nosso amigo. Eu havia prometido ao João uma ida à Campinas para apresentá-lo aos filhos do dr. Cássio, e ele me cobrava. Chegamos de manhã e, no saguão, já encontramos mães com seus filhos no colo aguardando o atendimento. Alguns bebês com ataduras nas mãos, outros ainda recém-nascidos esperando a primeira consulta. Fiquei sensibilizada quando percebi que todos os olhos tinham se voltado para o João. Ele era o único adulto com a síndrome presente. As mães que nós víamos naquele saguão ainda teriam que passar pela via crucis que nós encaramos até verem seus filhos chegar àquela idade.

João estava elegante de camisa polo azul-marinho, o cabelo penteado para o lado. Ele sabia mais do que nós sobre a dureza daquele mundo. Nos aproximamos de uma mulher que embalava seu bebê no colo enrolado numa manta azul. Ele era bem pequenino, devia ter um ou dois meses. Ela era a avó, a mãe estava mais adiante conversando com os enfermeiros. Pensei nas avós do João e na cena que se repetia. Mais adiante, outro casal jovem vinha com seu bebê já coberto de ataduras em volta da cabeça. Outros casos de fenda palatina e outras deformidades aguardavam o atendimento ambulatorial. O clima não tinha nada de pesado para mim, mas Ramon, que nos conduziu até lá, não conseguiu ficar naquela sala.

João observava atentamente cada criança, mas não dizia nada. Não posso imaginar o que se passava dentro dele ao reencontrar-se com essas memórias. Encontramos os filhos do dr. Cássio. Dr. Cesar, de jaleco branco, parecia até que seu pai estava ali de novo tamanha a semelhança com o médico que operou o João tantas vezes no passado. Em seguida, o dr. Cássio Eduardo, filho mais velho, que se tornou o maior cirurgião de mãos do Brasil. A mãe dos dois, a dra. Vera, presidente do hospital, esteve presente nas cirurgias do João nos anos 90. Quando perdeu o marido, levou adiante o projeto da Sobrapar.

Passeamos pelas instalações impecáveis, com equipamentos modernos, cuidados por gente apaixonada pelo que faz. Vera ampliou o hospital e se dedica inteiramente a ele. Conta com a ajuda do SUS e de empresas que contribuem anualmente para a gestão do hospital. Para angariar fundos, criou um bazar no terreno ao lado e passa o chapéu pela sociedade civil para fechar seu orçamento. As doações de móveis, roupas e eletrodomésticos são selecionadas e encaminhadas a uma oficina de reciclagem. Esse trabalho é feito por ex-drogados, e o galpão está repleto de móveis recuperados e postos à venda. Um símbolo emocionante do trabalho de resgate da vida, feito por gente corajosa que de fato contribui para a sociedade. No final dessa manhã me senti privilegiada em fazer parte daquela história e saí de lá com mais uma razão para escrever este livro.

# Perto de mim

O destino, de novo, é Nova York. A cidade de tantas idas e vindas, lembranças de várias vidas sobrepostas. A vista para o East River através das janelas do New York University Hospital e os arredores do hospital em Murray Hill deixaram marcados na minha memória aqueles dias com João, ainda um bebê com quatro meses de vida. Sinto um frio na espinha quando passo por ali, e nessas ocasiões pensei em levar João para atravessar o rio de barco, andar de metrô e percorrer todos esses caminhos comigo. Esse dia chegou.

Marcamos a hora para tirar seu novo passaporte pelo site da Polícia Federal num shopping da Barra da Tijuca. Sob uma pavorosa luz fria, nos sentamos nas cadeiras azuis junto aos outros que aguardavam o atendimento. Para João isso já é divertimento. Sair sozinho comigo, sem mais ninguém, é um programa. Sinto que a exclusividade traz de volta nossa cumplicidade e faz ele se sentir bem. A movimentação toda da viagem era parte da festa.

Chegou a nossa vez. O atendente, sem olhar para ele, fazia perguntas a mim. Sugeri que ele fizesse as perguntas diretamente para João. Sem encará-lo, como que temendo algo, o funcionário da Polícia Federal olhou para suas mãos e gritou para o colega:

— Ô fulano, vem ver uma coisa aqui! O que é que eu faço?

Segurando a sua mão direita, que é a mais comprometida, o sujeito reclamou que não ia ter jeito de tirar as suas digitais. E começou a me contar da sua filha autista, do problema que é ter pessoas "assim" em casa. Talvez ele tenha encontrado ali uma maneira de ser amável e de estabelecer empatia comigo. E saiu descrevendo a filha que não podia sair de casa, que se batia, que dava um trabalho danado, tudo isso sacudindo a cabeça como que espantando o horror que sentia.

E João me olhava com cara de "oi?".

Mas o homem não conseguia resolver como tirar suas digitais. Vinha um e vinha outro, e cadê o supervisor? Cadê o código para preencher no formulário? E eu me perguntava se alguém que não tem os membros superiores teria que passar também pela humilhação de estar numa sala cheia de gente e ouvir em volume máximo sua deficiência ser anunciada como um obstáculo burocrático, como uma afronta.

Nós dois perplexos, tentando manter o bom humor, pusemos em prática nossa técnica infalível de partir para a galhofa. Murmurei ao pé do seu ouvido: "Oh, João, quanta delicadeza...". E ele embarcou na comédia, entendeu o ridículo, a impropriedade da cena e riu às gargalhadas.

Como sempre não soube avaliar até onde ele se chateia com essas ofensas causadas em circunstâncias assim. Mas sei que ele, mais uma vez, foi safo para sair do constrangimento usando o humor a seu favor. O funcionário, quando encontrou o código que isentava João de deixar suas digitais, nos liberou aliviado e deixamos a Polícia Federal comentando sua mancada.

Passaporte e visto na mão, esperei o momento propício para irmos a Nova York. Embarcamos na véspera do seu aniversário de 32 anos.

Nova York me pareceu amável com o João. Talvez a diversidade da população ou o Onze de Setembro, não sei dizer o porquê, mas os americanos de lá são doces e atenciosos com as pessoas com deficiência. Começando com o guarda azedo da imigração, aquele que não sorri pra ninguém e costuma grunhir atrás do balcão. Esse mesmo homem olhou para o João, sorriu e disse:

– *Hi, buddy!* (E aí, cara!)

Ao ver as suas mãos, dispensou as digitais. Dispensou também a foto e exclamou:

– *Welcome and have a nice day!* (Seja bem-vindo e tenha um ótimo dia!)

E atravessamos a Queensboro Bridge com o João dizendo "Poxa!".

No primeiro dia, fomos a Tip Top Shoes tentar encontrar calçados confortáveis. Coisas simples como um bom par de sapatos a gente não imagina que sejam motivo para comemorar, mas, no caso dos pés complicados de João, são. A sindactilia dos pés não foi operada porque nunca foi necessário mexer nisso. Ela não atrapalha a pessoa a andar nem a correr, mas causa uma deformação que faz os pés serem diferentes e difíceis de se adaptar aos calçados. O vendedor, dedicado com o seu *buddy*, desceu todos os modelos da loja e pacientemente reservou uma hora inteira ao cliente que saiu da loja carregando uma sacola com quatro pares de novos pisantes confortáveis.

Havia também a incumbência de achar a peça da bicicleta. Desde que fora roubada, anos antes, nunca mais tínhamos conseguido encontrar o mecanismo que combina o freio nos pés (contrapedal) com o dispositivo de marcha. O atendente da loja de bicicletas da Columbus Avenue foi pesquisar com seus colegas dentro da oficina e criou um simpósio para entender o caso. Delicadamente, três mecânicos analisaram as mãos de João com o rabo do olho para entender que elas não podiam frear no guidom. Pediram um dia para estudar a solução. Conseguiram encomendar a peça e, quando retornamos à loja, a turma comemorava como se fosse uma vitória para eles fazer o João voltar a pedalar. Trouxemos as rodas e a engrenagem para montar no Brasil. A viagem já tinha valido.

Nossos passeios eram longos, e descobri que as curiosidades e observações de João sobre Nova York eram confusas, mas faziam sentido. Ao passarmos pelo Central Park ele logo se lembrou do filme *Esqueceram de mim*, um de seus preferidos.

Mais tarde, fui surpreendida com as perguntas:

— Os prédios que caíram não eram aqui?

— E o horário que muda, por que será?

— É pra frente a hora ou pra trás? Então no Brasil é mais tarde?

Coisas complicadas de explicar sem conhecimentos de geografia, mas, na prática, ele já sabia os horários de lá e os de cá.

No frio, com as mãos nos bolsos por causa da falta de luvas que o servissem, andamos pela neve que cobria as avenidas no final do inverno. O inglês falado rápido nas ruas e ele admirado com tantas novidades. No prédio imenso da Time Warner na Columbus Circle, subimos para ver lá de cima o Central Park ainda coberto de neve. Andamos de metrô, subimos e descemos as escadas rolantes imensas, topamos com um guarda de dois metros de altura, meninas lindas e o seu inseparável iPhone, até então pouco comum no Brasil, sendo usado por todos.

Jantamos os dois no dia do seu aniversário num restaurante italiano gostoso com um copo de Amarone pra celebrar a data. Tim-tim. Algumas gotas de vinho no seu copo com água e o brinde foi:

– À nossa viagem de volta a Nova York!

Naquela noite contei a ele sobre os dias de verão que passamos juntos no hospital da New York University e do menino, filho do jogador de beisebol, que tinha caído pela janela. Eu nunca mais tinha me lembrado do fato, e João ficou abismado com o assunto. O menino tinha dois anos na ocasião, então naquela altura teria 36 anos e bem poderia estar naquele restaurante jantando com a família. Relatei minhas trapalhadas no apartamento em Manhattan para descontraí-lo e assim ele ficou com a impressão que sua primeira ida a Nova York tinha sido uma grande farra.

O maior programa da nossa viagem era a movimentação, o deslocamento, descer do metrô e pegar o ônibus, atravessar a ponte de trem e voltar de barco, andar, andar e andar pelos cinco grandes bairros da cidade. O difícil é acompanhar o seu passo apressado, que tem ritmo acelerado, quase de corrida.

Estávamos perto do Museu de História Natural, onde passamos uma manhã inteira. Os dinossauros imensos, a idade da Terra, a evolução, o tempo. Tanta coisa para ele entender, melhor tirar um monte de fotos para postar no Facebook e deixar para lá a história da Terra.

Entramos no planetário para uma viagem às estrelas. Filas imensas e todos se acomodaram confortavelmente nas cadeiras para o início do show. A luz foi caindo suavemente, surgiu um espantoso *skyline* de Nova York no horizonte de 360 graus. A voz de Whoopi Goldberg anunciou o começo do show.

Nossa "nave" foi se afastando do solo e de repente lá estávamos, João e eu, de mãos dadas vendo a Terra de longe e os planetas do sistema solar. Mas não parávamos de nos distanciar mais e mais, entrando pela Via Láctea, até chegarmos ao princípio de tudo, aos primeiros gases da formação da atmosfera, à expansão do Universo, à demonstração do Big Bang com manchas lisérgicas multicoloridas. Estávamos os dois envolvidos e maravilhados com o espetáculo. Pouca diferença fazia para nós, naquele momento, de quem era quem, quem sabia mais, quem era mais bonito, mais moço, mais velho, mais rico, mais pobre, chinês, americano, africano, russo ou brasileiro. Somos parte do mesmo Cosmos, somos a mesma poeira numa história de bilhões e bilhões de anos. Aquela viagem pelas estrelas nos igualava a todos, era um passeio dentro da nossa essência e da nossa efemeridade.

No final voltamos ao *skyline* suavemente. Eu segurava firme a mãozinha do João e tinha chorado de emoção, como se nós dois tivéssemos conversado mil horas sobre o verdadeiro significado das coisas, sobre as questões mais profundas das suas dificuldades, sobre ser feliz tendo tantas limitações.

Nós nos levantamos dali e fomos até o Shake Shack comer o melhor hambúrguer de Nova York.

Nos últimos anos fui sentindo que João precisava voltar para perto de mim. O problema das córneas, o risco de perder a visão, encabeçava a lista das minhas preocupações. Toda vez que eu o levava ao oftalmologista e constatávamos que o tratamento não estava sendo seguido, eu via a urgência de mudarmos a vida de João. Os exames ultratecnológicos de hoje ampliam a imagem da córnea, e lastimávamos constatar a piora do estado das lesões e a iminência de uma tragédia. O tratamento dá esperanças de poder estacionar a situação, mas já não há como revertê-la. Perto de mim tenho mais gente que pode ajudar a fazer o tratamento dia e noite com as compressas e os colírios. Daniel me apoiou fortemente na ideia de começar a fazer esse movimento.

Passei então a temer a hora de afastá-lo da minha mãe. Tomá-lo dela, arrancá-lo dessa relação tão longa. Me achava egoísta de fazer isso na hora que bem entendesse e deixá-la só, com saudades dele. Mas as coisas foram acontecendo naturalmente, e, em conversas com o João, fui enxergando que tínhamos ambos essa necessidade de ficar mais perto. Ele passou a querer participar da minha vida agitada de mil afazeres, várias casas, os irmãos sempre por perto, e eu fui trazendo João outra vez para debaixo da minha asa. Junto a isso, a intensificação do tratamento com os colírios e as compressas, todos em volta com o alerta vermelho ligado, uma equipe trabalhando para salvar as córneas do João.

Memé reagiu bem à despedida, vendo que ele se mostrava contente e bem-humorado. Depois de mais de vinte anos se dedicando a João, ter sua vida de volta sem as tarefas do cotidiano com ele poderia ser doloroso. Mas ela é uma mulher com uma vida cheia de livros e assuntos que a interessam. Gosto de imaginar que ela hoje tem mais tempo para ler tudo o que quer, desenhar seus maravilhosos e únicos desenhos e curtir a saúde e a energia dos seus bem vividos oitenta anos. João faz questão de passar os fins de semana ao seu lado, o que não deixa essa relação tão longa e cheia de histórias se perder.

Uma nova vida começou a partir dessa mudança. Foi no verão de 2015, quando João e eu voltamos a ir à praia juntos. Às vezes, no fim de um dia quente, saíamos para mergulhar no mar do Leblon e, em seguida, fazíamos caminhadas pela orla. Eu comovida com seu passinho curto e rápido, a coluna adernada, a cabeça tombada para o lado. O jeito sempre apressado, a urgência em fazer as coisas.

O papel que foi delegado à minha mãe durante todos esses anos me foi devolvido. Diariamente vejo acordar e dormir aquela figurinha de sempre, meu companheiro de tantas dores, meu filho mais velho, agora um adulto. Dentro do adulto uma criança que sempre vai precisar de mim, seja para os colírios ou para a complicada vida lá fora, cheia de equações, números e contas impossíveis. Uma pessoa sensível, capaz de perceber nuances de sentimentos e as inúmeras tessituras do humor e da graça do mundo. O que passa por ele, ele registra, a seu modo, e devolve por vezes tempos depois. João é cheio de lembranças que me surpreendem. Moramos na casa da rua Rumânia, em Laranjeiras, até ele completar oito anos. Foi o período em que ele conheceu Edgar e aprendeu a nadar e a andar de bicicleta. Foi quando ganhou seus irmãos Gregorio e Barbara. João viveu sua primeira infância na pequena rua sem saída e não deixou o tempo apagar as memórias de muitos acontecimentos passados naquela casa. Outro dia me surpreendeu recitando o número do nosso telefone de 1989.

Às vezes menciona alguém que já morreu faz tempo e se lembra de detalhes precisos. Como a empregada Rosalina, que descia a serra de carona com a gente e num determinado ponto saltava do carro. Ela morreu faz 25 anos, e João se lembra exatamente daquele lugar na estrada, assim como se lembra da casa de Petrópolis da avó Gisah, das pessoas que foram importantes para ele e de fatos que presenciou e guarda com carinho na memória.

Desde que João ficou sem namorada, andava triste e isolado, não tinha companhia para seus programas e passava seu tempo explorando amizades no Facebook que não levavam a lugar nenhum. Foi uma fase solitária, e ele insistia em passear aos sábados a esmo, sozinho, pela Feira de São Cristóvão, mas eu não gostava nada daquilo. Não pelo lugar, mas pelos perigos que rondavam o sábado à noite, sem ninguém para protegê-lo. Passei a monitorar suas saídas e, além do aplicativo de celular que me possibilitava supervisionar sua posição no mapa, fui apertando as rédeas com horários e regras que ele cumpria contrariado.

Para mim era penoso cortar a onda do seu único divertimento, mas a exposição ao perigo me deixava sem opção. Cheguei a contratar a Nice, nossa diarista, para acompanhá-lo. Ela confirmou o risco que o programa apresentava. Contou que João andava pelo meio dos casais dançando forró na Feira de São Cristóvão e que os rapazes não gostavam dos seus olhares para as moças. Sem noção do inconveniente, ele estava querendo desfrutar daquele entretenimento, mas não agradava nada aos homens vê-lo se aproximar excessivamente das meninas.

Tomei uma atitude radical e o proibi de passear desacompanhado à noite. Minha atitude era tão sensata que até ele aceitou de bom grado, sem reclamar. Acho que no fundo tinha consciência da ameaça que essas saídas representavam.

A comunidade Apert no Facebook aproximou João de Ana Clara. Os dois já se conheciam, tinham sido apresentados num Carnaval em São Lourenço. Na ocasião, Ana Clara tinha dezessete anos e João ainda namorava Sonia.

Quando Ana Clara nasceu, Cris, sua mãe, já tinha conhecimento de alguma complicação com o seu bebê. No quarto mês de gestação não havia diagnóstico preciso do que se passava com o feto e foram levantadas hipóteses de outras alterações em função das anomalias no crânio. Dentre elas anencefalia, hidrocefalia e síndrome de Down. Cris, que já era mãe de dois meninos, encarou com bravura a notícia e não quis interromper a gravidez. Ana Clara nasceu com síndrome de Apert em 1995 e foi recebida pela mãe com amor. O pai não teve a mesma reação e, tempos depois, abandonou a família.

Aos quatro meses, a menina já tinha feito as primeiras cirurgias de descompressão do cérebro e seu médico, o dr. Ricardo Cruz, nos pôs em contato. Cris devia estar passando pela mesma dificuldade de achar informações sobre o desenvolvimento das crianças com Apert que eu tivera catorze anos antes e telefonou-me fazendo perguntas sobre o João. Clarinha passava bem, mas tinha sindactilia acentuada, trocamos ideias sobre as diversas condutas, falamos sobre a internet e a única página dedicada à síndrome até então, a Teeter's Page, mas depois desse telefonema nunca mais tivemos contato.

Cris seguiu lutando pela filha e criou comunidades sobre a síndrome de Apert na internet, primeiro no Orkut com o nome "Nós Amamos Clarinha" e agora no Facebook, onde troca diariamente dicas sobre a síndrome, seus desdobramentos e preconceitos, bullying e mensagens de encorajamento.

Ana Clara cresceu e virou uma moça. Feminina, doce, inteligente, estuda informática e tem todas as características do João e a mesma atitude e autoconfiança. Cabelos compridos e bem tratados, seios fartos e cinturinha fina, Ana Clara pra mim é a Gisele Bündchen da comunidade Apert e está sempre sorrindo. Todos os dias posta mensagens de otimismo no Facebook com ilustrações e citações. Logo João se enamorou dela e começaram a trocar mensagens *inbox*. Passei a cobrar dele a iniciativa de convidá-la para sair e, em março de 2015, os dois deram início a um namoro amplamente divulgado na rede social. O casal sorri para fotos em shoppings, praias, festas de família, esbanjam alegria e trocam declarações de amor. Estão aprendendo a namorar e na rede já assumiram um "relacionamento sério".

Caberá à vida dizer até onde essa relação poderá ir. Sabemos que ter filhos não seria sensato. Juntos, as chances de João e Ana Clara terem sua prole com a mesma síndrome é de 75%. Cris

e eu teríamos que passar por tudo de novo e nem eu nem ela estamos dispostas a enfrentar o calvário de cirurgias outra vez. Por isso João está encaminhado para uma vasectomia, e Miguel, seu pai, é quem está cuidando disso. O casamento com uma vida independente também não me parece ser fácil de acontecer.

Outro dia João me fez uma declaração:

— Estou mais feliz, mais bem-humorado. Você reparou?

Eu concordei e o abracei forte. Ele está feliz, sobretudo porque estamos juntos novamente. Os irmãos cresceram e são independentes. Ele agora voltou a ser exclusivo e reencontra seu lugar ao meu lado, de onde não vai mais sair.

João vai sempre precisar de monitoramento e cuidados especiais. Responsabilidades, em alguns aspectos, e não só ligadas à saúde. Sua independência precisa de assistência. Ele nunca será um estorvo, é uma boa companhia, é parceiro. Iremos a praias no verão e faremos caminhadas na orla, vamos rir dos outros à nossa volta sem que ninguém saiba exatamente por que e caçoar dos irmãos, cabeças de vento que esquecem tudo. Vamos falar do trânsito, das barbeiragens dos motoristas, da logística dos horários de todos os que transitam pela cidade.

Isso é o que mais importa para ele, é o que sempre o interessou. Seus caminhos estarão continuamente ligados aos trajetos de ônibus que ele domina. No seu mundo particular há um mapa de linhas de transporte público, uma malha rodoviária com as estações de metrô, paradas de ônibus e muitas conexões.

Com ele, pelo menos, nunca vou me perder.

# Agradecimentos

Daniel Filho
Eugenia Ribas-Vieira
Edesio Fernandes
Tete Pacheco
Sergio Canetti
Sofia Mariutti
Bruno Porto
Mauro Ventura
Felipe Marques
Sonia Maria Gomes
Jose Carlos Cabral de Almeida
Valeria Pierroti
Laerthe Abreu
Ramon Trigo
Adriana Falcão
Jackie Hecker
Edgar Duvivier
Chris Martins
Ana Clara Alves

1ª EDIÇÃO [2016] 3 reimpressões

ESTA OBRA FOI COMPOSTA PELA ABREU'S SYSTEM EM INES LIGHT E IMPRESSA EM OFSETE PELA LIS GRÁFICA SOBRE PAPEL PÓLEN BOLD DA SUZANO PAPEL E CELULOSE PARA A EDITORA SCHWARCZ EM SETEMBRO DE 2016